JARDÍN
ORGÁNICO

Una guía esencial para crear un jardín natural
con técnicas ecológicas

María Gabriela Escrivá

ALBATROS
Jardinería Práctica

Edición
Cecilia Repetti

Asistente de edición
Guadalupe Rodríguez

Dirección de arte
María Laura Martínez

**Diseño, diagramación
e ilustraciones**
Andrés N. Rodríguez

Fotografías
Verónica Urien
Ana B. Guarnaschelli

JARDÍN ORGÁNICO

1ra. edición – 4000 ejemplares
Impreso en **Gráfica Pinter S.A**
México 1352, Buenos Aires, Argentina
Febrero 2011

ISBN: 978-950-24-1325-9

© Copyright 2011 by **Editorial Albatros SACI**
Torres Las Plazas Jerónimo Salguero 2745
5to piso oficina 51 (1425)
C. A. de Buenos Aires, República Argentina
IMPRESO EN LA ARGENTINA
PRINTED IN ARGENTINA
www.albatros.com.ar
e-mail: info@albatros.com.ar

Agradecimientos

a Mariano Bueno y Jesús Arnau.
a Marga Roldán y Mencía Prieto de Cultivabio.

Escriva, Gabriela
   Jardín orgánico. - 1a ed. - Buenos Aires : Albatros, 2011.
   112 p. ; 24x17 cm. - (Jardinería práctica)

   ISBN 978-950-24-1325-9

   1. Jardinería. I. Título
   CDD 635.9

La planta correcta en el lugar correcto.

Unas palabras

¿Qué es un jardín orgánico? La respuesta a esta pregunta puede ser presumible si analizamos separadamente las palabras "jardín" y "orgánico". Podríamos definir **jardín** como una expresión artística en la que se recurre a diferentes elementos, plantas y medios técnicos para la creación de un espacio verde determinado. Y **orgánico**, como un conjunto de técnicas y medios ecológicos.

Este es uno de los casos donde 1 + 1 es más que 2. En un jardín orgánico, no sólo se cuidará con esmero la salud del suelo, se lo abonará reciclando sus propios materiales y se ubicará "la planta correcta en el lugar correcto" para que de esta forma ella misma rechace el ataque de plagas, sino que también se buscará la integración del jardín en el paisaje. De esta forma lograremos una verdadera armonía con el entorno, recurriendo a las especies nativas y a los materiales con identidad cultural disponibles en la zona.

Este no es un libro de diseño de jardines, sino que se detallan los factores biológicos más importantes que debemos tener en cuenta a la hora de crear un jardín, independientemente del estilo elegido. También se dan las pautas para volver más ecológico un jardín tradicional.

El contacto con la naturaleza es una necesidad básica del ser humano, que nos aporta salud y bienestar. Inclusive un pequeño grupo de macetas puede evocar ese sentimiento placentero. Un jardín orgánico nos dará la posibilidad de vivirlo sin poner en riesgo nuestra salud y la del medio ambiente.

María Gabriela Escrivá

Sector anglochino del Parque El Capricho, Madrid, España.

Durante el siglo XX, el cambio en las tendencias de diseños de jardines no ha sido tanto por ideas innovadoras sino por consideraciones más pragmáticas, como por ejemplo, la falta de mano de obra calificada y la abundancia de maquinaria para el jardín.

En los parques que diseñó el arquitecto paisajista danés Jens Jensen (1860-1951) se observa un enfoque netamente ecológico. Él afirmaba: "formamos parte del entorno, con necesidades tan válidas como las de las plantas y los animales". Jensen emigró a Estados Unidos y desarrolló el sistema de parques de Chicago. Previo al diseño definitivo, realizó excursiones a los bosques y prados cercanos para familiarizarse con las plantas autóctonas y comprender los procesos ecológicos involucrados en el ecosistema. El resultado fue contundente con el valioso aporte de naturaleza integrada en una urbe.

Sector anglochino del Parque El Capricho, Madrid, España.

Jardín de Nativas en el Jardín Botánico de Curitiba, Brasil.

La arquitectura orgánica también ha aportado conceptos que han enriquecido el diseño de jardines. Rudolf Steiner, filósofo austríaco y padre de la Antroposofía, incursionó en el diseño curativo inspirado en la filosofía de Goethe, el cual afirmaba que es principalmente en nuestros movimientos corporales la manera en como los humanos experimentamos la arquitectura.

El principio fundamental de la arquitectura orgánica antroposófica se basa en que la forma tiene un efecto profundo sobre el comportamiento y los sentimientos de las personas. Los jardines que acompañan estos edificios son también un "organismo" en sí mismo con senderos y canteros curvos, con lugares íntimos y frescos donde experimentar por medio del movimiento, sensaciones curativas.

Los jardines del paisajista brasileño Roberto Burle Marx (1909-1994) son una expresión latinoamericana de es-tos conceptos. Sus diseños estrictamente ordenados pero armónicamente naturales son el resultado de un profundo conocimiento de la flora autóctona, la interdependencia de materiales, las formas y los colores. Como resultado de este proceso, se observa que los jardines se han ido "flexibilizando" en el diseño y ganando en biodiversidad. La ausencia de líneas rectas y simetrías en la naturaleza también se refleja en estas creaciones ricas en curvas y perfiles sinuosos. Actualmente, numerosos jardines y parques presentan zonas con plantaciones silvestres, carpetas de césped con menos requerimientos de cuidados, arbustos nativos y grupos de plantas vivaces. El Proyecto Biocidade de Curitiba, ciudad ecológica por excelencia en Brasil, promueve la incorporación de plantas nativas en diseños orgánicos públicos y privados

El uso alternativo del bambú en el diseño reduce la utilización de maderas nobles.

CAPÍTULO
2

Planificación
para un diseño
ecológico

Capítulo 2

Planificación para un diseño ecológico

Nos puede llevar un año observar y recoger los datos necesarios para una estrategia sana y a largo plazo. Vivir y experimentar un ciclo estacional completo aporta información que no se encontrará en ninguna bibliografía.

Tradicionalmente, los jardines eran creados para su exhibición, para la recreación e incluso únicamente para la contemplación. Se los diseñaba a partir de un espacio cerrado, para crear una fantasía exótica muy diferente a lo que se manifestaba naturalmente más allá de sus límites. Esto demandaba grandes costos de mantenimiento y debía ser sostenido mediante un trabajo constante y exhaustivo de riegos, podas, labranzas y pulverizaciones.

Este nuevo enfoque sobre la jardinería nos lleva a no perder de vista todos los beneficios conocidos que aporta un jardín tanto público como privado, sino además lograr desde el diseño que cada jardín "brote" del suelo para formar parte de su entorno sin luchar contra él. Redescubrir las plantas autóctonas, las tradiciones culturales y recurrir a elementos constructivos con una identidad regional única ayudará a crear jardines de aspecto natural y en consonancia con su contexto.

Todo jardinero y horticultor sabe que ninguna planta puede crecer saludablemente en todos los suelos y cumplir de forma exitosa todas las funciones, como resistir inundaciones y sequías, heladas y temperaturas abrasadoras, vientos o condiciones extremas de salinidad. Siempre habrá una planta especializada para una o más de estas condiciones. Sobrevivir no es fácil y cada planta tiene su propia estrategia y adaptaciones específicas. Para cada zona y región climática habrá un conjunto de plantas determinadas que se desarrollarán de manera exitosa.

Los jardines tradicionales demandan grandes costos de mantenimiento.

Xerojardinería: diseños con plantas resistentes a la falta de agua.

Si bien un jardín es una expresión artística, mantener su valor estético depende en gran medida de la salud de las plantas que lo conforman y de las condiciones de suelo y clima específicas de la región. Antes de hacer los primeros bocetos e imaginar el nuevo jardín, deberíamos tener las respuestas a algunas preguntas que nos ahorrarán tiempo y dinero en el futuro.

- ¿Cuál es la media anual de precipitaciones?
- ¿Cuál es la temperatura mínima en invierno y la máxima en verano?
- ¿De dónde viene el agua potable?
- ¿Adónde va el agua residual?
- ¿Qué especies vegetales se han cultivado tradicionalmente en la zona?

Cosmos. Amplio período de floración, atractivos de insectos benéficos y bajo mantenimiento, ideales en un jardín orgánico

Manejo de luz y color en un jardín paisajista que recurre a especies muy adaptadas y de bajo mantenimiento. Giverny, Francia.

Evaluar el lugar elegido

Un año entero de evaluaciones y observaciones podría parecer desalentador para comenzar con el jardín, pero si se desconoce el nuevo lugar y se es principiante, no será tiempo perdido

No hay dos jardines idénticos, cada uno tiene su característica individual e irrepetible que se ha ido moldeando a partir de sus características propias de suelo y clima. Como el fin de trabajar orgánicamente es hacerlo en colaboración con la naturaleza, cuanto más conozcamos las ventajas y las desventajas del lugar, mejor. La información aportada por los vecinos de la zona puede ser sumamente útil para empezar, pero ninguno de ellos tendrá un jardín con las características idénticas al nuestro.

Durante este período inicial pasaremos por dos etapas:

- **La medición de las características permanentes del lugar.**
- **El registro de las variables estacionales.**

Características permanentes	Variables estacionales
• Orientación.	• Recorrido del sol.
• Clima general.	• Evolución de las sombras.
• Topografía y pendiente del terreno.	• Temperaturas máximas y mínimas.
• Forma y tamaño de los límites.	• Direcciones del viento.
• Situación de las construcciones circundantes.	• Lluvias.
• Relevamiento de los árboles existentes.	• Profundidad de la napa freática.
• Observación y análisis del suelo.	• Forma en que drena el agua.
• Accesos.	• Ciclos de vida de la flora y la fauna del lugar.

Al hacer el relevamiento de los árboles existentes, debemos saber si son perennes o de follaje caduco.

La abundancia de sombras
condiciona el diseño.

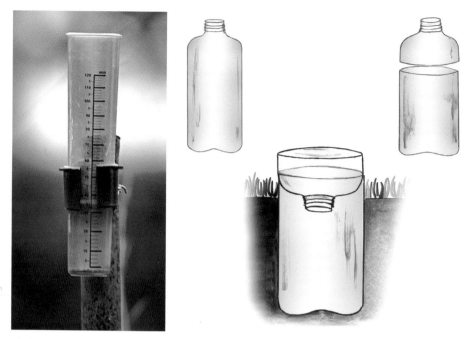

Pluviómetro. Recurso ideal para registrar la cantidad de agua que recibe nuestro jardín. En su defecto podemos construir uno artesanal a partir de un envase plástico reutilizado.

Tip: desde el primer año es importante empezar a acopiar material para compostar y una vez que tengamos suficiente, haremos las pilas a fin de tener excelente compost a partir del segundo año.

La sombra proyectada por grandes árboles crea espacios frescos y con grandes posibilidades de diseño.

En el Hemisferio Sur, la cara de los troncos cubierta de musgos nos indicará el Sur.

Las estaciones experimentales de la región nos aportarán muchos datos, pero otros dependerán de nuestra propia observación.

Otro factor importante a tener en cuenta es el tiempo y el esfuerzo que estamos dispuestos a dedicarle al mantenimiento del jardín o cuánto puede costar económicamente una ayuda externa. Si el tamaño del jardín supera el tiempo disponible para su cuidado, entonces es necesario esmerarse al máximo en el diseño inteligente con el fin de ahorrar tiempo y dinero en el futuro.

El otoño nos proveerá de un valioso material en forma de hojas secas para compostar.

"La planta correcta en el lugar correcto", paradigma de la agricultura orgánica y extensivo a nivel diseño. Plantar ejemplares con poderosas raíces cerca de la vivienda dará inconvenientes como por ejemplo la rotura de solados.

La amplitud térmica generada en un entorno montañoso condiciona la elección de las plantas. Recurrir a las más abundantes en la zona es garantía de éxito.

Un jardín hábil en el uso de la energía

Un jardín orgánico es un sistema natural e idealmente autosuficiente; por lo tanto, los materiales circulan, se utilizan y retornan al sistema para ser utilizados nuevamente.

¿Cómo podemos reducir algunos recursos en el jardín? Comparados con los de la vivienda, los recursos utilizados en el jardín son mínimos, pero con un diseño inteligente el jardín puede colaborar en la reducción del consumo general de toda la casa.

- Optimizando el buen uso de los recursos que ofrece gratuitamente la naturaleza, como el sol, el viento, el agua o la materia orgánica.
- Reutilizando y reciclando tantos recursos como sea posible. Por ejemplo:

  1. Seleccionando restos de poda y utilizándolos como tutores o para sombrear.

  2. Acolchando el suelo con el césped cortado y seco.

  3. Preparando purines y fertilizantes con plantas específicas cultivadas en el jardín.

  4. Reciclando y compostando la materia orgánica.

- Utilizando los recursos con mayor eficacia para obtener los mismos resultados con menos energía. Por ejemplo, un cerco vivo o árboles ubicados estratégicamente pueden reducir el consumo en calefacción, desviando los vientos fríos o en verano creando una capa aislante entre estos elementos y la casa, lo cual refrescará la vivienda.

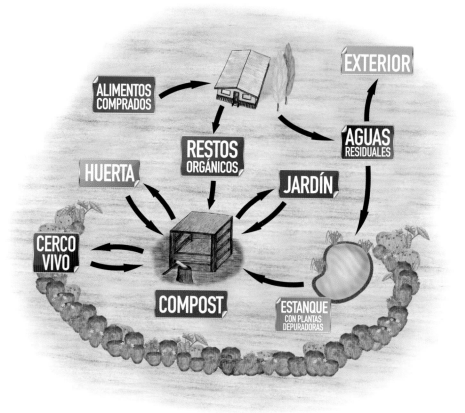

Un jardín orgánico es un sistema cíclico y ecológico que puede producir alimentos saludables y belleza con entradas mínimas y eliminando poco o ningún residuo, ya que la mayoría de los productos retornan al sistema.

Si hay abundancia de agua en nuestro espacio, aprovecharemos este recurso para riego y como estanque.

Dependiendo del calibre, seleccionamos los restos de poda y los usamos como tutores, para sombrear o chipeándolos para usarlos como cobertura.

Árboles ubicados estratégicamente refrescan la vivienda en verano o desvían los vientos fríos en invierno.

¿Qué diferencia hay entre un jardín orgánico y un área silvestre?

Un área silvestre suele estar en un punto estable o clímax albergando una comunidad animal y vegetal muy específica y adaptada a la zona. Estas plantas y estos animales están sujetos a condiciones extremas o carenciales; por ejemplo, si el suelo carece de nutrientes limitará el desarrollo vegetal de muchas especies. La falta de luz provocada por la sombra proyectada por las plantas más altas será otra limitante importante, la disponibilidad de agua dependerá de las lluvias y ante su falta, muchas plantas sucumbirán. Un jardín orgánico si bien está en armonía con el entorno es básicamente una creación humana, una expresión de su arte.

En un jardín se impide deliberadamente que estas comunidades específicas evolucionen hacia el clímax, ya que el crecimiento descontrolado de las más aptas terminaría por cubrir toda el área y se perdería el diseño original. Se riega, se poda, se nutre y se conduce de forma tal que sea un espacio saludable intentando mantener las bases del esquema inicial del diseño.

Selva paranaense. La falta de luz provocada por la sombra proyectada por las plantas más altas es un limitante natural en el desarrollo de otras plantas.

Las condiciones extremas de este suelo arenoso condiciona el desarrollo vegetal.

La falta de agua hará que sólo puedan desarrollarse plantas adaptadas a esa condición.

El cerco vivo en un jardín

La alineación vegetal periférica no sólo es un límite físico sino que actúa también como una membrana protectora de este "organismo" particular, nuestro jardín orgánico.

Podemos interpretar un jardín orgánico como un organismo vivo donde cada sector o parcela forma una célula, independiente e interdependiente, conectada y separada por el cerco vivo. Este actúa como una membrana protectora, un filtro que limita e individualiza cada porción del terreno. El agua y los nutrientes circulan por los pequeños canales o por el sistema de riego de la misma manera que lo hacen en el aparato circulatorio; el suelo y sus microorganismos trituran y transforman estos nutrientes como un auténtico aparato digestivo y los animales predadores que viven, se alimentan y anidan en el cerco vivo actúan como el sistema inmunitario controlando a las plagas. A mayor diversidad de especies vegetales que lo conformen, más poderosas serán estas defensas.

El cerco vivo actúa como un verdadero pulmón, regulando el microclima "celular" y el clima de todo el organismo. Esta función será más valiosa cuanto más alejada se encuentren cada una de estas "células" de un área verde natural o implantada.

Un buen cerco puede regular el régimen hídrico del sistema, limitar la pérdida de nutrientes, bombearlos desde el subsuelo y ser un excelente productor de material residual que se convertirá en humus en el futuro.

El efecto protector de un cerco al reducir la velocidad del viento provoca una reducción en la pérdida de agua por transpiración de las plantas y por evaporación. La velocidad del viento se reduce al encontrarse con un cerco vivo entre un 30 y un 50%, contribuyendo de esta forma a la creación de un microclima interno. La pérdida de calor del suelo, la disminución de la erosión y los daños por flexión en las plantas causados por la fuerza del viento se ven disminuidos por su presencia.

Cumple la función de una pantalla, dando sombra en la cara opuesta al sol y como reflector, reflejando hacia el suelo parte de la radiación que llega a la cara soleada.

Crea una barrera de sonido y detiene la deriva de pólenes, polvo, tóxicos y contaminantes de las cercanías.

Contrariamente a lo que pueda suponerse, la eficacia de un cerco radica en su permeabilidad, a diferencia de un muro contra el cual el viento chocaría y provocaría turbulencias del lado opuesto.

A nivel de diseño, el cerco vivo marca el límite que "abrazará" y protegerá al jardín

Un jardín orgánico se basa en la biodiversidad. La acacia es una fabácea nativa, ideal para formar parte del cerco vivo.

Cerco vivo formado por árboles y arbustos que dan seguridad y protección al jardín.

El bambú amarillo es una opción para espacios más reducidos de cerco denso y seguro. También es necesario controlar el crecimiento de sus rizomas.

Lantana camara es una planta muy rústica y adaptable a diversas condiciones. Posee durante un largo período abundante floración y sus hojas secas forman una cobertura de calidad en el suelo

Las fructificaciones de los arbustos del cerco vivo tienen una función biológica y ornamental

Plantas para crear un cerco con interés biológico

Los científicos han descubierto que para los insectos predadores de plagas no todas las plantas son iguales, sino que tienen sus preferencias.

Para obtener energía en la búsqueda de sus presas o para reproducirse, muchos insectos benéficos se alimentan de los azúcares presentes en el néctar y de las valiosas proteínas que conforman el polen. Vaquitas predadoras, sírfidos o crisopas son algunos de los que con frecuencia habitan jardines libres de agrotóxicos de los cuales ellos también serían sus víctimas. Diferentes investigaciones han revelado que para estos insectos no todas las plantas con flores son iguales. No sólo deben ser una excelente fuente de polen y néctar sino que también deben tener determinadas características que estimulen su desarrollo.

Entre las preferidas por estos insectos benéficos figuran:

- Aciano *(Centaurea cyanus)*
- Aliso *(Lobularia marítima)*
- Borraja *(Borago officinalis)*
- Hinojo *(Foeniculum vulgare)*
- Sauces *(Salix sp.)*
- Cosmos *(Cosmos sp.)*
- Girasol mejicano *(Tithonia rotundifolia)*
- Equinácea *(Echinacea sp.)*
- Lavandas *(Lavandula sp.)*
- Milenramas *(Achillea sp.)*
- Gramíneas ornamentales

La incorporación de plantas nativas siempre será una buena elección, ya que son las mejores adaptadas a la zona y están relacionadas a la fauna local.

Girasol mexicano (Tithonia rotundifolia).

Sauce o mimbre amarillo (Salix alba var. vitellina).

Los Cosmos sulphureus *florecen durante el verano y el otoño. Se resiembran solos y son muy atractivos para mariposas y abejas.*

Aliso (Lobularia marítima).

Lavanda (Lavandula sp.).

Gramínea ornamental.

Aciano (Centaurea cyanus), esta planta tiene
los nectarios extraflorales, por lo tanto es visitada por insectos en busca de néctar aún con
las flores cerradas.

CAPÍTULO
3

El suelo,
fundamento de
un buen jardín
orgánico

Capítulo 3
El suelo, fundamento de un buen jardín orgánico

Conocer la parte mineral y la compleja vida existente en un suelo nos ayuda a diseñar un jardín ecológico y afín con el entorno.

Todos sabemos que las plantas se desarrollan parte en el aire y parte en el suelo, ambas son dependientes y complementarias entre sí. La salud y el bienestar de la parte aérea son tan importantes como la salud y el bienestar de la raíz.

La raíz toma del suelo agua, nutrientes y oxígeno, las hojas captan CO_2 y energía. El inicio de la formación de muchos aminoácidos y otras sustancias vegetales comienza en la raíz, pero la formación final de proteínas se realiza en las hojas. Estos conocimientos básicos son fundamentales para el correcto manejo de un jardín orgánico.

Del suelo vamos a necesitar que permita un buen desarrollo de la raíz, posea nutrientes disponibles en tiempo y forma para la planta,

retenga agua, sea suficientemente aireado y no contenga sustancias tóxicas.

La agricultura orgánica basa sus técnicas en el cuidado del suelo, su buen manejo, y en la protección de la flora y la fauna presentes en él. La tierra está compuesta por rocas y minerales. Esta ha sido modificada por factores que interactúan sobre ella. El viento, el agua, el relieve, la vegetación, los animales y el ser humano la erosionan, desintegrándola hasta formar partículas de arcilla (muy pequeñas), limo (intermedias) y arena (grandes).

La roca madre es la base donde se origina el suelo, siendo esta quien le otorga su color y sus características específicas.

Los suelos pueden dividirse en cuatro capas distintas, denominadas "horizontes".

Suelo arcilloso y pobre en materia orgánica. Pocas especies vegetales soportan esas duras condiciones.

Capas del suelo	
Horizontes del suelo	Características
Horizonte O	Es el horizonte orgánico de un suelo mineral que se forma por encima de la superficie. Está formado por materia orgánica sin descomponer o parcialmente alterada.
Horizonte A	Es un horizonte mineral caracterizado por una acumulación orgánica en la superficie y por haber perdido arcilla, hierro o aluminio. Es una capa fértil y rica en humus. Posee abundante materia orgánica asociada íntimamente a la fracción mineral.
Horizonte B	Es una capa compuesta especialmente por partículas de arcillas, hierro, aluminio o humus, independientes o en combinación.
Horizonte C	Es la base en donde se origina el suelo. Esta le otorga su color y sus características específicas. Está formado por rocas fragmentadas de gran tamaño.

Con esta información y la decisión de dónde diseñar el jardín, echaremos una mirada al suelo. Su color y su textura serán lo primero que debemos analizar.

La textura del suelo

Se refiere a los porcentajes en que se encuentran las partículas primarias del suelo en función de su tamaño. Se consideran específicamente los de arcilla, limo y arenas.

1. Suelos arenosos

Los suelos arenosos son permeables al aire y al agua, pero tienen un contenido bajo de nutrientes. Cuando nos disponemos a trabajarlos, no acarrean problemas ya que demandan poco esfuerzo, debido a la particular forma de los granos de arena que no les permite colocarse de manera muy densa, permitiendo que fluya el agua y el aire. Tienen un alto contenido de cuarzo, pero faltan otros minerales fundamentales para el saludable desarrollo vegetal. Los reconocemos al tomar una porción y ver cómo se escapa entre los dedos. A este tipo de suelo es necesario aumentarle la fracción húmica y la cantidad de materia orgánica.

2. Suelos limosos

Los suelos limosos son ricos en humus y retienen efectivamente el agua, el aire, el calor y los nutrientes. Físicamente poseen una estructura de malla densa en comparación con los suelos arenosos. Los reconocemos ya que se desmenuzan entre los dedos y poseen una estructura migajosa que se mantiene unida. Estos suelos requieren de un especial cuidado biológico: labranzas suaves, incorporación de compost y coberturas que aumentarán su fertilidad.

3. Suelos arcillosos

Los suelos arcillosos son generalmente pesados e impermeables al aire y al agua. Su estructura laminar es tan densa que ante la falta de agua se contraen fuertemente y se resquebrajan; por el contrario, en presencia de esta, estos suelos se vuelven pegajosos. Tienen la ventaja de almacenar nutrientes, pero es difícil trabajarlos ya que son sumamente pesados. Este tipo de suelo mejora si le incorporamos una parte de arena y compost. La aplicación de coberturas naturales mejorará su estructura.

4. Suelos francos

Las categorizaciones detalladas anteriormente no son las que por lo general encontraremos en nuestra parcela de suelo, sino una mezcla de ellas, una suerte de sistema en equilibrio, los denominados "suelos francos". El suelo de nuestro jardín podrá ser franco-arcilloso, franco-limoso o franco-arenoso, dependiendo de las partículas que se encuentren mayoritariamente.

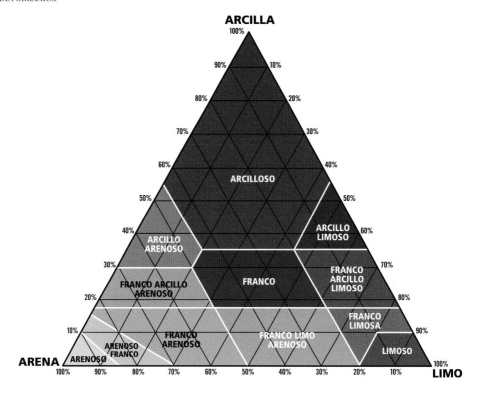

Tipos de suelo. *Esta pirámide textural grafica los diversos tipos de suelo que pueden existir conociendo las propor-ciones relativas de dos de las tres clases de partículas que lo componen: arena, arcilla y limo. Si el suelo tiene 30% de arcilla y 40% de limo, se busca el 30% en el lado de la arcilla y se sigue la paralela al lado de la arena, luego se busca el 40% en el lado del limo y se sigue la paralela al lado de la arcilla. El resultado estará donde se cruzan las dos líneas y, en este caso, corresponde a un suelo franco.*

Cada tipo de partícula presente realiza su contribución a la naturaleza del suelo como entidad. Las arenas constituyen el esqueleto del suelo, a ellas se debe la mayor parte de su peso y ayudan a conseguir una buena airea-ción y permeabilidad. Las arcillas y la materia orgánica son importantes por su capacidad de almacenar agua y nutrientes. Las partículas más finas pueden ayudar a unir entre sí a otras mayores, formando agregados. Estos agrega-dos son agrupaciones naturales de partícu-

las primarias que se forman y persisten en el suelo. Su origen natural y su persistencia los distinguen de los terrones, causados por alte-raciones como son por ejemplo las labranzas incorrectas.

Conocer las características físicas del suelo es fundamental para acompañar el desarrollo saludable de nuestras plantas. Un análisis de suelo revelará datos específicos y certeros so-bre nuestro terreno, inclusive la presencia y la cantidad de materia orgánica.

Determinación de la textura al tacto

Podemos reconocer fácilmente la textura del suelo de nuestro jardín siguiendo las si-guientes pautas.

Tomamos una pequeña muestra de suelo y la humedecemos hasta formar una pasta fácil de amasar. Presionamos y apretamos la muestra entre el pulgar y los dedos, tratando de ir for-mando gradualmente una cinta. Si la cinta se forma y se mantiene sin dificultad, se trata de

una muestra de textura fina (arcillosa). Por el contrario, si la cinta no se forma y la muestra se desmorona, se trata de una textura gruesa (arenosa). Las muestras de textura media (li-mosas) permiten formar una cinta, pero esta se rompe muy fácilmente

Se extrae una muestra de suelo de la superficie (capa de 20 a 30 cm de profundidad).

Se trabaja una porción de suelo en la palma de la mano con un poco de agua.

Se realiza una cinta o choricito de unos 3 mm de diámetro y 10 cm de largo.

La sensación al tacto es también de utilidad para apreciar las condiciones de plasticidad y adhesividad de una muestra de suelo. La arcilla se caracteriza por su alto grado de plasticidad y adhesividad en húmedo, pegándose en los dedos. El limo se muestra suave en seco, recordando al talco o la harina. En húmedo tiene moderada plasticidad y muy escasa adhesividad. La arena presenta un aspecto rugoso característico, no siendo ni plástica ni adhesiva.

Plantas para suelos arenosos	Plantas para suelos arcillosos
• Acacia, Mimosa *(Acacia dealbata)*	• Aro *(Arum italicum)*
• Acacia *(Acacia longifolia)*	• Aucuba *(Aucuba japonica)*
• Olivo *(Olea europea)*	• Berberis *(Berberis sp.)*
• Cotoneaster *(Cotoneaster horizontalis)*	• Boj *(Buxus sempervirens)*
• Azarero *(Pittosporum tobira)*	• Digitalis *(Digitalis purpurea)*
• Romero *(Rosmarinus officinalis)*	• Flor de un día *(Hemerocallis sp.)*
• Natri *(Solanum crispum)*	• Lirio *(Iris laevigata)*
• Verbena *(Verbena bonariensis)*	• Laurentino *(Viburnum tinus)*

Romero (Rosmarinus officinalis).

Boj (Buxus sempervirens). *Especie muy usada en jardinería formal para conformar cercos vivos.*

Laurentino (Viburnum tinus).

Azarero (Pittosporum tobira).

Detalle de flor de Laurentino.

El pH del suelo

El pH indica la acidez que tiene el agua del suelo, conocida como "solución del suelo".

Para determinar este grado de acidez, se usa una escala en donde el 7 indica un pH neutro; por debajo de este valor, se considera el suelo ácido y por arriba del 7, un suelo alcalino. Por medio de indicadores como el papel tornasol u otros reactivos comerciales podremos determinar fácilmente el pH de la solución del suelo.

Cada planta necesita elementos en diferentes cantidades y esta es la razón por la que cada una requiere un rango particular de pH para optimizar su crecimiento. Por ejemplo, el hierro, el cobre y el manganeso no son solubles en un medio alcalino. Esto significa que las plantas que necesiten estos elementos deberían estar en un suelo ácido. El nitrógeno, el fósforo, el potasio y el azufre, por otro lado,

están disponibles en un rango de pH cercano a la neutralidad. Un pH alcalino en general se asocia con la presencia de sodio. Si el pH es ácido, las bacterias no trabajan bien disminuyendo la fijación de nitrógeno atmosférico y la velocidad de descomposición de la materia orgánica. La mayoría de las plantas ornamentales se desarrollan mejor en suelos ligeramente ácidos (pH 6,5-6,8). Otras como las azaleas, ericas, rododendros o camelias prefieren suelos más ácidos. Las calas, por el contrario, disfrutan de un suelo ligeramente alcalino. El color de las flores de las hortensias es un indicador natural del pH del suelo: las flores rosadas indican suelos neutros a ligeramente alcalinos y las flores azules, suelos con pH más ácido.

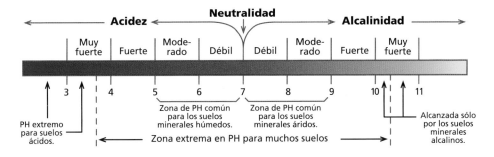

La escala de pH es logarítmica, por lo tanto el valor de 6 es 10 veces más ácido que el valor superior de 7.

Plantas para suelos alcalinos	Plantas para suelos ácidos
• Aguileña *(Aquilegia sp.)*	• Azalea *(Azalea japonica)*
• Budleia *(Buddleja davidii)*	• Abedul *(Betula alba)*
• Clematis *(Clematis sp.)*	• Camelia *(Camellia japonica)*
• Cotoneaster *(Cotoneaster horizontalis)*	• Cornejo *(Cornus sanguinea)*
• Rosa de Siria *(Hibiscus siriacus)*	• Brezo *(Erica sp.)*
• Cantueso *(Lavandula stoechas)*	• Jazmín del Cabo *(Gardenia augusta)*
• Formio *(Phormium sp.)*	• Fotinia *(Photinia serrulata "Frasseri")*
• Salvia *(Salvia officinalis)*	• Rododendro *(Rhododrendron sp.)*

El agregado de compost maduro aumenta la tolerancia de las plantas a un rango mayor de pH.

Cornejo (Cornus sanguinea).

Abedul (Betula sp.), *detalle del tronco*

Camelia (Camellia japonica). *Detalle de flor.*

Salvias aromáticas y ornamentales.

Escorrentía

Después de una lluvia copiosa, observaremos el tiempo que tarda en discurrir el agua por la superficie del terreno. Un suelo permeable elimina de 2 a 4 cm de agua en una hora. Si el agua queda estancada mucho tiempo en la superficie, estamos ante un suelo compactado. Observaremos los desniveles, las zonas más altas y más bajas. Estos datos nos ayudan a elegir "la planta correcta en el lugar correcto".

Fotinia (Photinia serrulata "Frasseri").

Plantas indicadoras de las condiciones del suelo

La vegetación espontánea contiene información acerca de las características físicas y químicas del suelo, son mensajes de la naturaleza que es importante saber interpretar.

Muchas especies sólo prosperan en condiciones agroecológicas muy específicas. Suelos fértiles, profundos y bien drenados están cubiertos por plantas diferentes que las que cubren suelos fértiles pero anegadizos y estas difieren de las que cubren los suelos bajos. Conocer la "vocación" del suelo será otra pauta para trabajar acompañando a la naturaleza.

Suelos fértiles	Suelos bajos
• Achicoria *(Cichorum intybus)*. • Borraja *(Borago officinalis)*. • Caapiquí *(Stellaria media)*. • Flor morada *(Echium plantagineum)*. • Galinsoga *(Galinsoga parviflora)*. • Lengua de vaca *(Rumex sp.)*. • Ortiga *(Urtica urens)*. • Trébol blanco *(Trifolium repens)*.	• Pasto salado *(Distichlis spicata)*. • Cebollín *(Cyperus rotundus)*. • Menta *(Mentha sp.)*.

Borraja (Borago officinalis) *visitada por abejas.*

Menta (Mentha sp.).

Suelo bajo.

Caapiquí (Stellaria media).

Galinsoga (Galinsoga parviflora).

Flor morada (Echium plantagineum).

La composición del suelo

En un buen suelo, el 50% de su volumen está compuesto por partículas sólidas y el otro 50% por espacios vacíos, llamados poros.

La mayoría de estas partículas sólidas derivan de rocas o de sedimentos y ocupan aproximadamente el 50% del volumen del suelo. Los espacios vacíos entre estas partículas sólidas se encuentran ocupados por agua, aire o la combinación de ambos. Un suelo bien manejado posee un 25% de su volumen ocupado por agua y el 25% restante por aire. La correcta combinación de estos componentes provee un medio saludable para el desarrollo radicular. Entre el 3% y el 5% corresponde a la materia orgánica.

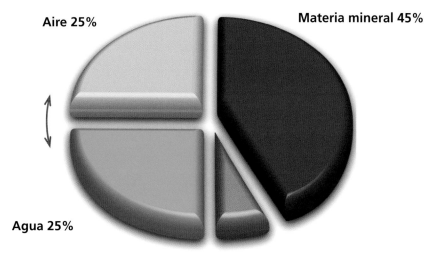

Aire 25%

Materia mineral 45%

Agua 25%

Materia orgánica entre 3% y 5%

¿Qué es la materia orgánica?

Es la fracción indispensable para el mantenimiento de la vida en el suelo. Está compuesta por toda sustancia muerta proveniente de plantas, excreciones animales o microorganismos. Las raíces vivas y los animales que viven en el suelo no forman parte de la materia orgánica.
Esta materia orgánica transformada por la acción de los organismos que habitan el suelo como hongos y bacterias da lugar a complejos húmicos, primer eslabón en la formación de humus.

¿Qué es el humus?

Es una sustancia marrón oscura, quebradiza, más o menos rica en nitrógeno, calcio y fósforo que depende para su formación de los restos de la vegetación de la cual proviene, del tipo de suelo, del pH, de los microorganismos que actuaron en su descomposición, del clima imperante en la zona y del manejo del suelo por parte del hombre.
La presencia de humus es fundamental en el desarrollo de las plantas y la calidad del suelo, ya que lo protege contra la erosión producida por la lluvia y el viento. El humus permite que el agua penetre profundamente con suavidad y aglomera las partículas finas del suelo transformándolo en más "grueso", evitando de esa manera que se vuele fácilmente. Regula la temperatura del suelo de acuerdo con las condiciones externas y proporciona elementos nutritivos a las plantas al desprender los ácidos orgánicos que contribuyen a neutralizar los suelos de pH alcalino. Libera los minerales que se encuentran en la tierra que serán utilizados por las plantas y retiene el nitrógeno necesario para el intercambio y el consumo vegetal. El compost, las hojas, el estiércol o el mantillo al ser ente-

rrados se descomponen formando humus. Si se deja a estos elementos en la superficie del suelo, también se formará y las hormigas, los gusanos, las lombrices y los bichos bolita lo incorporarán lentamente al suelo.

La presencia de humus es fundamental para el desarrollo saludable de las plantas.

La vida en el suelo

Toda la vida sobre la Tierra se origina en el suelo, el cual determina el tipo de micro y mesofauna presente en él, siendo estas a su vez formadoras del suelo.

Un suelo saludable rebosa de vida. La vegetación está lejos de ser el único factor incluido en los organismos vivos. Un gramo de suelo soporta una población de miles de millones de bacterias y otros organismos asociados.
Podremos clasificarlos por su tamaño en:

Macroorganismos	Mesoorganismos	Microorganismos

Al primero y al segundo nivel pertenecen los más conocidos, es decir, los que podemos ver a simple vista: culebritas, ratones, cuises, lombrices, hormigas, arañas, escarabajos, etc. Estos organismos son agentes de meteorización y de mezcla, verdaderas biotrituradoras. Son los primeros en atacar la materia orgánica, alimentándose de ella y sobre sus excreciones actúan los microorganismos. Con su actividad, la incorporan al suelo, removiéndolo y mejorando la circulación de aire, agua y nutrientes.

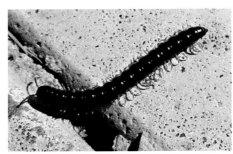

Milpiés, diplópodo consumidor de materia orgánica en descomposición y labrador del suelo.

Bicho bolita (Armadillidium vulgare). *Este crustáceo se alimenta de cortezas, algas y materia orgánica en descomposición.*

Las lombrices realizan una transformación química de su alimento al poseer una microflora digestiva muy rica compuesta principalmente por actinomicetes. Con su actividad no sólo airean el suelo al construir túneles sino que sus deyecciones son 6 veces más ricas en actinomicetes, 5 veces en nitrógeno asimilable, 2 veces en calcio asimilable, 2,5 veces en magnesio asimilable, 7 veces en fósforo asimilable y 11 veces en potasio asimilable.

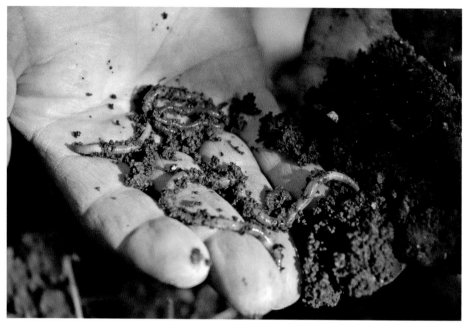

Lombrices. Estos anélidos realizan una transformación química de su alimento.

Caracol, gasterópodo que con su rádula come, tritura y pone a disposición de hongos y bacterias la materia orgánica.

Los microorganismos tienen un papel tan importante en la biología del suelo que puede afirmarse que sin su presencia no es posible la vida de los demás seres. Entre ellos encontramos hongos, bacterias, actinomicetes, micorrizas, algas microscópicas y protozoarios. Cada grupo de organismos está muy especializado en su tarea y se desarrolla sobre determinados sustratos tales como celulosa, almidón o proteínas a fin de obtener la energía necesaria para crecer y reproducirse, dejando a su paso un residuo más simple y mineralizado que luego quedará a disponibilidad de las plantas superiores. Las bacterias responsables de mejorar la estructura de los suelos y las capaces de fijar el nitrógeno atmosférico y mo-dificarlo para que pueda ser absorbido por las plantas también forman parte de este grupo.

La importancia de la incorporación periódica de materia orgánica en las labranzas radica en que de esta manera se reaviva el mecanismo por el cual ciertas bacterias del suelo, las descomponedoras aerobias de la celulosa, transforman estos materiales orgánicos en un azúcar ácido, el ácido poliurónico, conocido como "la jalea" o "la cola bacteriana". Esta sustancia actúa uniendo las partículas del suelo y formando de esta manera los llamados "agregados". Posteriormente, esta jalea es consumida por hongos que envuelven estos agregados con sus hifas, volviéndolos más estables y resistentes frente a la erosión y la lluvia

¿Qué son las micorrizas?

Se conoce con este nombre a la asociación mutualista establecida entre la mayoría de las plantas y ciertos hongos microscópicos del suelo. Esta simbiosis supone una relación beneficiosa tanto para la planta como para el hongo.

Las ventajas proporcionadas a las plantas por las micorrizas son numerosas. Gracias a ellas las plantas son capaces de explorar más volumen de suelo del que alcanzan con sus raíces y por ende, mejorar la captación de nutrientes y agua. Las micorrizas recubren la raíz protegiéndola de hongos y bacterias patógenas. Además aumentan la rusticidad de las plantas frente a los cambios de temperatura y a la acidificación del suelo.

En la naturaleza, más del 90% de las plantas superiores presentan micorrizas de forma habitual. Las micorrizas son hongos, por lo tanto la aplicación de fungicidas también las destruye. Podemos micorrizar el suelo de nuestro jardín con la aplicación por riego de micorrizas que se comercializa en forma de inóculo en suspensión.

Micorrizas. Esta simbiosis supone una relación beneficiosa tanto para la planta como para el hongo.

CAPÍTULO
4

Jardines orgánicos
mayores a 200 m²

Capítulo 4

Jardines orgánicos mayores a 200 m²

Estos jardines pueden presentar sectores de arboleda, carpetas de césped, canteros con arbustos y herbáceas e inclusive pequeños estanques.

Generalmente el suelo de un jardín es muy diferente de los suelos agrícolas o de los originarios de la región. Luego de la construcción del inmueble, el suelo circundante se ve muy afectado por el paso de las maquinarias y la circulación del personal durante la construcción. La compactación ocasionada destruye miles de años de evolución del suelo del jardín. Los restos de obra, y la presencia de cemento y cal perjudican el drenaje e inciden negativamente sobre la vida en el suelo. Estos movimientos llevan a que se reduzca en volumen la cantidad de poros de un 50% a un 30% (10% de aire, 20% de agua y sólo 1% de materia orgánica). La porción de aire es la que se ve más afectada, volviéndose un factor limitante para el saludable desarrollo vegetal. El manejo orgánico del suelo pretende restablecer el equilibrio y devolverle de forma natural la porosidad y la cantidad de materia orgánica perdida.

La sanidad vegetal está asociada a la salud del suelo; en un suelo compactado, pobre y enfermo nunca tendremos plantas saludables. La incorporación de materia orgánica madura cerca de las raíces aumenta de tal manera la microflora benéfica que sus efectos positivos son observables en todo el jardín.

Luego de la construcción del inmueble, el suelo circundante se ve muy afectado por el paso de las maquinarias y la circulación del personal durante la construcción. La porción de aire es la que se ve más afectada, y se vuelve un factor limitante para el saludable desarrollo vegetal.

La compactación del suelo, producto de la circulación del personal y el paso de la maquinaria destruye miles de años de evolución del suelo del jardín

Los árboles y los arbustos en el jardín orgánico

Los árboles y los arbustos silvestres pueden orientarnos sobre la vocación del terreno. Plantar estas especies autóctonas o sus variedades cultivadas será una garantía de éxito para nuestro jardín.

No sólo las observaciones botánicas, climatológicas o de suelo pueden ser importantes, las culturales, como el nombre del lugar, pueden aportar datos valiosos. El Talar de Pacheco, Villa Pehuenia o Ceibas son ejemplos en la Argentina; Curitiba en Brasil hace referencia en guaraní a la abundancia de Pino Paraná *(Araucaria angustifolia)* e Insaustia, en euskera, quiere decir 'nogueral', árboles que fueron muy abundantes en esa zona del País Vasco.

Ceibo salteño (Eryythrina falcata).

Pino Paraná (Araucaria angustifolia). *Su abundancia natural en Brasil otorgó su nombre a Curitiba, a la selva paranaense y al Estado de Paraná.*

Vista de los alrededores de Salta, área de origen de la tipa, el cebil colorado, el ceibo salteño y el nogal criollo, entre otras.

Elegiremos estratégicamente los puntos de plantación evaluando no sólo la belleza del diseño sino también factores tan importantes como el desvío de los vientos fríos y la evolución de la sombra proyectada durante todo el año. Los árboles, si actuamos correctamente, vivirán decenas o centenas de años en el lugar. Estos no sólo son afectados por el agua, la luz y las condiciones del suelo, sino que además son verdaderas antenas cosmotelúricas que captan radiaciones permanentes provenientes del sol, la luna y las estrellas.

Al mismo tiempo, reciben radiactividad natural proveniente del subsuelo y de los minerales de la tierra, además de la incidencia constante de campos magnéticos o electromagnéticos. Recurriendo a un sencillo procedimiento ancestral, podremos reconocer puntos críticos para la plantación de los árboles.

El cuerpo humano también es sensible a estas radiaciones y a las variaciones de los campos electromagnéticos terrestres. Unas varillas metálicas serán suficientes para detectar estos puntos críticos.

Se fabrican fácilmente con un trozo de alambre o cobre de unos 3 mm de grosor. Se doblan en forma de L dejando 35 cm para el largo y 15 cm para la empuñadura. Se toma una varilla en cada mano y se camina de forma relajada recorriendo el lugar. Estas "antenas" amplificarán las señales provocando una respuesta neuromuscular que hará que las varillas se crucen en los puntos críticos.

En las zonas de alteración telúrica (corriente de agua subterránea, fisura geológica o cambio brusco de la composición del suelo) observaremos oscilaciones de las varillas y el cruce de estas en forma de X. En ese punto de cruce, deberíamos evitar la plantación de un árbol o de un arbusto, ya que esa situación adversa no sólo se reflejará en una disminución de su crecimiento y vigor, sino que también aumentará su vulnerabilidad ante las plagas y las enfermedades.

El cuerpo humano también es sensible a las radiaciones y a las variaciones de los campos electromagnéticos terrestres. Unas varillas metálicas serán suficientes para detectar los puntos críticos para la plantación de un árbol o un arbusto.

Los árboles son verdaderas antenas cosmote-lúricas que captan radiaciones permanentes provenientes del sol, la luna y las estrellas.

¿Cómo plantar un árbol?

Plantar un árbol es un acto profundamente satisfactorio y un compromiso con el futuro del lugar. Para que evolucione favorablemente, es preciso seguir algunas pautas técnicas

Un árbol debe tener buen anclaje para resistir los vientos y poder desarrollarse vigorosamente. Por estas razones es necesario acondicionar un lugar para que luego del trasplante, el árbol encuentre un suelo profundo donde extender sus raíces y proveerse del agua y los nutrientes necesarios. Es conveniente preparar unas semanas antes el hoyo de plantación para que de esta manera aumente la aireación del suelo y la oxidación de la materia orgánica.

El diámetro del hoyo debe ser 2,5-3 veces el tamaño de las raíces y la profundidad estará en relación con el tamaño de las raíces, no más profundo. A la tierra extraída se le pasa la horquilla y se le incorpora compost muy maduro o humus de lombriz. Cerca de las raíces, la materia orgánica debe estar muy madura, como ocurre en la naturaleza.
Si el suelo es muy arcilloso, también horquillaremos el fondo del hoyo.

Área de las raíces

Dos y media a tres veces el tamaño de las raíces.

Características del hoyo de plantación.

Arboles frutales en contenedores plásticos, listos para su plantación definitiva.

Asimismo, las plantas requieren un acondicionamiento previo a la plantación:

Árboles a raíz desnuda

- Recortar las raíces demasiado largas, las secas y las rotas.
- Podar cuidadosamente los extremos de las ramas muy largas.
- Remojar las raíces.

Árboles en contenedores

- Retirar el envase con cuidado o cortarlo por los costados. El fin es cuidar el pan de tierra y no el contenedor.
- Sólo podar las raíces enruladas en torno al envase.

Ubicación de la planta a raíz desnuda y llenado del hoyo.

Ubicación de la planta en maceta y llenado del hoyo.

Árboles con cepellón

- Cortar cuidadosamente las ataduras, evitando romper el pan de tierra.
- Si el cepellón está protegido por una bolsa plástica, retirarla por los costados.
- No podar las raíces ni las ramas.

Ubicación de la planta con cepellón y llenado del hoyo.

En todos los casos, se ubica la planta en el centro del hoyo, procurando que el cuello quede al ras del suelo, no enterrado. A medida que se va llenando el hoyo, se asienta la tierra con el pie para que no queden espacios con aire entre las raíces y la tierra. Para facilitar la retención de agua y evitar el estrés hídrico luego de la plantación, podemos formar en torno al árbol una "palangana de riego". Luego de este período crítico, los riegos se irán espaciando a medida que se desarrollen las nuevas raíces. En el caso de los árboles, para que la cobertura o mulch sea efectiva debe tener de 5 – 10 cm de espesor, cubriendo un área en torno a la planta de alrededor de 1 m de diámetro. Esta cobertura no debe cubrir la base del tronco para evitar la acumulación de humedad en la corteza. La aplicación de micorrizas en forma de inóculo líquido será otro aliado natural para el desarrollo saludable de estas plantas.

¿Cómo plantar un arbusto?

Los pasos son similares a los de la plantación de un árbol en contenedor.

1. Medir el diámetro del cepellón que tenga el arbusto.

2. Cavar un hoyo con un diámetro de 2,5 a 3 veces el tamaño del cepellón y horquillar.

3. Incorporar compost maduro en el hoyo e inmediatamente retirar el envase del arbusto y colocarlo en el hoyo. Unos puñados de harina de hueso aportarán el fósforo necesario para abundantes floraciones.

4. Completar el hoyo con tierra y compost. Asentar la tierra para que las raíces entren en contacto con el sustrato. Luego regar y micorrizar.

5. Aplicar una cobertura natural en torno a la planta.

Nandina (Nandina domestica)

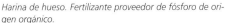

Harina de hueso. Fertilizante proveedor de fósforo de origen orgánico.

Cobertura de chips de corteza en torno a un rosal.

El laboreo orgánico del suelo

El laboreo comprende las distintas manipulaciones mecánicas a las que se somete el suelo para mejorar sus condiciones físicas, químicas y biológicas en provecho de las plantas.

Un objetivo de la agricultura orgánica es trabajar el suelo lo menos posible para conservar y potenciar la actividad de organismos vivos que se encargarán de efectuar este laboreo de forma permanente y continua.

La laya (horca, horqueta, bieldo u horquilla de dientes planos) es la herramienta emblemática del manejo orgánico del suelo. Se compone de un cuerpo con 3 ó 4 dientes equidistantes y de extremos afilados, unidos a un mango con empuñadura. Permite remover la tierra, aflojar las malezas y airear el suelo sin invertir el pan de tierra como en la labor de punteo.

Existen excelentes layas comerciales, como también versiones artesanales y ergonómicas. No debe confundirse con la horquilla que se usa para levantar la paja que es mucho más débil, generalmente con tres dientes curvados.

Layas.

Luego de hacer los bosquejos del diseño y establecer las zonas donde irán las borduras o los canteros, intervenimos en el suelo de la siguiente manera:

- Independientemente de la forma del cantero (curvo o geométrico), con la ayuda de una pala chata se marcán los bordes.
- Realizar una primera pasada de laya en sentido del ancho del cantero.
- Cubrir el suelo con una capa de 5 cm de material orgánico seco (paja, hojas, etc.) y posteriormente, regar sobre esta cobertura. El trabajo de la laya aumenta la aireación del suelo y la cobertura ayuda a mantener la humedad y a quitar luz solar, lo cual evitará el desarrollo de las malezas.
- Esperar 7 días, retirar la cobertura y realizar una segunda pasada de laya en sentido cruzado a la anterior. En este paso, ya podremos retirar algunas malezas con mucha facilidad.

Para incrementar la actividad biológica en el suelo, incorporaremos compost maduro o humus de lombriz a razón de aproximadamente 1 kg por metro lineal de cantero, volvemos a cubrir y a regar si es necesario. Sólo sacaremos las malezas que salgan sin esfuerzo. La agricultura orgánica respeta tiempos biológicos, que serán variables según la estación del año. Con esta segunda pasada de laya ya observaremos el suelo muy mullido. Una vez lograda una tierra migajosa y suelta, con la ayuda del rastrillo, dejaremos la superficie pareja. Este suelo ya está preparado para recibir las plantas.

Marcar los bordes con la pala chata.

Forma correcta de utilizar la laya.

Nivelado con ayuda del rastrillo.

Colocación de cobertura natural.

Riego sobre la cobertura.

Coberturas del suelo

Un suelo desnudo queda indefenso ante la incidencia de los rayos UV que destruyen su delicada vida.

La lluvia golpea la tierra, compactándola, el viento arrastra la capa superficial del suelo y las heladas en invierno penetran en la tierra paralizando la actividad biológica.

En la naturaleza la capa superior de la tierra siempre está cubierta por plantas vivas, hojas secas o por desechos orgánicos. Si esta capa se desgarra por alguna razón natural o por incidencia del hombre o los animales, en poco tiempo comienzan a brotar hierbas silvestres que "cierran" esta herida. Luego de observar este fenómeno natural durante años, los agricultores ecológicos recurren a las coberturas naturales para proteger el suelo. En un jardín donde es importante el valor ornamental de la cobertura protectora, podemos recurrir al uso del césped cortado y seco o a los chips de corteza de árboles.

Construcción para acumular hojas secas para mantillo.

Carretón con pasto seco para coberturas.

Rollo de paja para usar como cobertura.

Para tener un criterio más ecológico aún, estas coberturas deben ser económicas y fáciles de conseguir en la zona donde estemos establecidos, inclusive las piedras en las zonas secas mantienen la humedad y protegen el suelo. Con la aplicación de coberturas o mulch, contribuimos a la mejora paulatina de los suelos, ya que se evita la pérdida de humedad y de calor, generándose un microclima favorable para los seres vivos que con su actividad mejoran la fertilidad. La protección física dada por la cobertura impide el encharcamiento y el endurecimiento del suelo.

Las labores en un jardín orgánico también se facilitan con su aplicación, ya que el suelo permanece más esponjoso y hay menos malezas para controlar. También disminuyen el riego y el abonado, pues el suelo permanece más húmedo y los microorganismos presentes bajo la cobertura producen sustancias nutritivas.

Los cultivos de cobertura o abonos verdes son ideales para proteger el suelo e incrementar su fertilidad en los períodos que no estén en uso sectores específicos del jardín.

Chips de corteza.

Además de los beneficios generales que aportan las coberturas, un abono verde también mejora el suelo:

- Aumentando la cantidad de materia orgánica.
- Aireándolo con el desarrollo radicular de las plantas.
- Incrementando la vida asociada a las raíces.
- Fijando nitrógeno gaseoso, si la planta seleccionada es una leguminosa.
- Incorporando un valor estético.

Para que un abono verde cumpla todas estas funciones en climas cálidos es necesario cortarlo cuando está en floración e incorporarlo a la tierra. En las zonas frías o húmedas, es conveniente triturarlo y dejarlo en la superficie hasta su deshidratación, para luego incorporarlo. Este período es coincidente con el final del invierno o principios de primavera. La temperatura ayudará a iniciar su transformación que lo convertirá en nutrientes activos para la vida microbiana del suelo. Para cada región y clima hay abonos verdes ideales, incluyendo la flora espontánea que según experiencias es la que más carbono aporta al suelo. La veza o vicia *(Vicia sp.)* es la leguminosa más cultivada con este fin.

*Vicia (*Vicia sp.*) en flor.*

El cuidado orgánico del césped

Se cree que es imposible mantener una carpeta de césped con cuidados ecológicos, pero es importante no sólo apreciar su valor estético, sino también la importancia de nuestra salud, la de los animales y la del entorno en general.

Las carpetas de césped de parques y jardines contribuyen a la mejora del medio ambiente y a la calidad de vida de la gente. Al igual que el resto de las plantas verdes, las gramíneas que lo componen, liberan O_2 y consumen CO_2, purificando el aire. Su presencia ayuda a amortiguar el ruido en las ciudades, a retener el polvo atmosférico, a regular la temperatura ambiente y a absorber los excedentes de agua de lluvia. También tiene probados efectos benéficos sobre la salud física y psíquica de las personas, debido a lo relajante de su color y a la posibilidad que brinda de experimentar la naturaleza. A nivel domiciliario, crea además un espacio de amortiguación entre el exterior y el interior de la vivienda propiamente dicho. Pero debido al tipo de cuidados generales que se le brinda, esta no es una verdad completa. Para mantener un césped verde y mullido con los tratamientos tradicionales, se le aplican enormes cantidades de fertilizantes de síntesis química que estimulan su crecimiento. Del 40 al 60% del nitrógeno aplicado lixivia fácilmente con las lluvias y se mezcla con las aguas subterráneas, contaminando con nitratos los acuíferos.

En el manejo tradicional, para el control de las malezas se utilizan dos tipos de herbicidas: unos selectivos como el 2,4 D y el MCPA y otros totales como el glifosato. Tanto unos como otros tienen probados efectos nocivos en la salud humana y medioambiental. El herbicida 2,4 D forma parte del conocido "agente naranja" que fue utilizado en la Guerra de Vietnam. En los céspedes de parques y jardines se lo utiliza para controlar las malezas de hoja ancha como el Diente de León *(Taraxacum officinale)*. Es sumamente volátil, por lo cual si se lo aplica en un lugar determinado, sus microgotas se desplazan muchos metros por medio del viento. Se ha probado que este herbicida con rastros de dioxinas daña los órganos reproductivos (en particular de los machos) de muchas especies animales, incluyendo al ser humano. Un estudio en perros mascotas de Estados Unidos reveló un exceso de casos de cánceres, en particular linfomas, relacionados con la práctica de pulverizar los céspedes con 2,4 D. Las primeras investigaciones se realizaron con los perros que colaboraron en la Guerra de Vietnam, ya que se observó que en estos animales los casos de linfoma testicular eran inusualmente frecuentes.

Es posible mantener carpetas de césped sanas y mullidas sin recurrir a agrotóxicos.

Las mascotas también son víctimas de los agrotóxicos aplicados para controlar las malezas.

El glifosato induce alteraciones en la gestación humana ya que se ha demostrado que la placenta es permeable a este herbicida total. Su uso se intenta justificar aduciendo el poco tiempo que permanece en el suelo, pero sin duda los más afectados a nivel humano son los trabajadores que lo aplican. Los síntomas locales e incluso sistémicos por los cuales realizan consultas médicas son una evidencia de la existencia de absorción cutánea. Pájaros, anfibios y otros mamíferos también sufren sus efectos.

La mayoría de las malezas que se controlan con herbicidas son comestibles, sabrosas y muy saludables si se las incorpora en la dieta. Si el número de malezas es muy grande, podemos aplicar este "herbicida" que no acarreará problemas de toxicidad: Mezclar ¾ de vinagre + ¼ de detergente y aplicar con chorro fino y directo sobre las malezas a controlar.

Los anfibios, grandes consumidores de babosas y otras plagas son muy sensibles a la presencia de agrotóxicos en el jardín.

Diente de León (Taraxacum officinale).

Malezas comestibles

Planta	Parte comestible
Caá piqui (Stellaria media)	Hojas, tallos tiernos y flores para ensaladas o cocidas de forma variada. Sopas.
Cardo (Cardus sp.)	Las hojas basales y los tallos tiernos, pelados y hervidos o al vapor.
Cerraja (Sonchus oleraceus)	Toda la planta es comestible. Las hojas crudas o cocidas al vapor.
Diente de León (Taraxacum officinale)	Toda la planta es comestible. Las hojas tiernas crudas en ensaladas o cocidas al vapor. Las raíces ralladas o fritas. Los botones florales se consumen crudos o cocidos.
Lengua de vaca (Rumex sp)	Hojas tiernas cocidas al vapor. Sopas y rellenos.
Ortiga (Urtica urens)	Las hojas cocidas al vapor. Sopas y rellenos.
Ortiga mansa (Lamium amplexicaule)	Las hojas y los tallos tiernos cocidos al vapor.
Trébol blanco (Trifolium repens)	Las hojas crudas en ensalada y las raíces tiernas cocidas al vapor.
Trébol rojo (Trifolium pratense)	Las hojas crudas en ensaladas. Las flores secas se preparan en infusión.
Verdolaga (Portulaca oleracea)	Los tallos y las hojas tiernas se comen en ensaladas o al vapor. Encurtida en vinagre, guisos, sopas y rellenos.
Vinagrillo (Oxalis corniculata)	Las hojas se consumen como espinacas. El sabor agrio se debe a oxalatos; consumir con moderación.

Trébol blanco (Trifolium repens).

Cerraja (Sonchus oleraceus).

Caá piqui (Stellaria media).

Vinagrillo (Oxalis corniculata).

Lengua de vaca (Rumex sp.).

Ortiga (Urtica urens).

Trébol rojo (Trifolium pratense) *en ensalada*.

Otras medidas

Medidas simples y con sentido común serán la clave para tener un césped ecológico.

Los cortes muy bajos estresan a las plantas, volviéndolas susceptibles al ataque de enfermedades. En un mantenimiento orgánico, los cortes de césped se realizan a una altura mayor. Es recomendable cortar el tercio superior y no más. Las cuchillas deben mantenerse bien afiladas para evitar desgarrar las plantas. Las máquinas que devuelven el césped triturado a la carpeta son ideales ya que estos restos serán un aporte natural de nitrógeno y materia orgánica.

Para fertilizar la carpeta de césped es conveniente recurrir a fertilizantes orgánicos líquidos y aplicarlos por riego o pulverización a principios y fines de primavera, épocas de mayor demanda de nutrientes debido al intenso crecimiento vegetal.

Las carpetas de césped consumen gran cantidad de agua potable con los riegos. Como no es posible depender de las lluvias para mantener el césped verde, es importante regar con inteligencia para cuidar este pre-ciado recurso. Es conveniente regar por la mañana temprano, ya que las pérdidas por evaporación son mínimas y en las horas de mayor demanda las plantas tendrán sus necesidades cubiertas.

Si el jardín es grande, podemos dejar algún sector para que la naturaleza se exprese libremente. Este, sin dudas, será el principal refugio de los controladores de plagas.

Otra opción es la naturalización de un sector, que consiste en transformar un campo de malezas en una pradera florida, de aspecto naturalmente silvestre. Es un tratamiento paisajístico que tiene por finalidad dar una respuesta estética a sectores del parque o jardín donde el paisajismo convencional resulta impracticable, ya sea por la topografía del lugar, por la falta de agua para riego o por su tamaño. Se recurre a especies con alto valor ornamental por su floración o follaje. Las especies a introducir deben ser autosuficientes a partir de su implantación.

En un mantenimiento orgánico, los cortes de césped se realizan a una altura mayor. Es recomendable cortar el tercio superior y no más.

Aplicación de fertilizantes orgánicos. En grandes superficies se recurre a mochilas.

Es importante regar con inteligencia para evitar el derroche de agua

La manzanilla puede cubrir grandes sectores aportando casi dos meses de floración y perfume constante.

El estanque orgánico

Muchas veces se evita en un diseño orgánico la incorporación de pequeños estanques por temor a la dependencia de productos químicos. Pero existe también la posibilidad de un manejo natural.

La presencia de agua introduce importantes efectos de valor ornamental en un jardín como son el sonido cuando fluye o cae por una cascada, el color cambiante por efecto del sol o ser el medio adecuado que permite el desarrollo de hermosas plantas acuáticas. Generalmente, los estanques son espacios donde se vierten muchos productos químicos, pero existe la opción de un manejo ecológico. La elección de acuáticas nativas es básica para crear un estanque orgánico, ya que ellas están mejor adaptadas que las plantas introducidas. América del Sur y Asia son los lugares con mayor riqueza de flora acuática. Brasil, la Mesopotamia argentina, Paraguay y Uruguay poseen una rica flora acuática nativa, con amplias áreas de dispersión.

En un estanque pueden desarrollarse tres grupos bien diferenciados de plantas acuáticas: las flotantes, las sumergidas y las palustres. Dentro de las flotantes nativas encontramos a la amapolita de agua *(Hidrocleis nymphoides)*, el helechito de agua *(Azolla filiculoides)*, el camalote *(Eichornia crassipes)* y el camalotillo *(Nympoides humboldtianum)*. Las acuáticas sumergidas son también las llamadas oxigenadoras, ya que al realizar la fotosíntesis dentro del agua, la enriquecen en oxígeno. La cabomba *(Cabomba australis)*, la elodea *(Elodea densa)* y la cola de zorro *(Ceratophyllum demersum)* son además de oxigenadoras, nativas. Las acuáticas palustres se desarrollan en los lugares bajos, húmedos y aneganizos, al borde del estanque. La cola de caballo *(Equisetum hyemale)*, el paragüitas *(Hydrocotile bonariensis)* y la totora *(Typha latifolia)* son algunas palustres nativas.

Cabomba (Cabomba australis).

Cola de Caballo (Equisetum hyemale).

Plantas acuáticas flotantes, sumergidas y palustres componen un estanque.

Elodea (Elodea densa).

Camalote (Eichornia crassipes). *Detalle de los pecíolos engrosados.*

Flor de Pontederia cordata con polinizadores.

Los sapos y las ranas son sumamente sensibles a la acción de los agrotóxicos. Su salud y su número rápidamente se ven afectados ante la presencia de herbicidas y pesticidas en el jardín. Es importante recordar que desde un estanque orgánico, estos anfibios no sólo controlarán las larvas de mosquitos sino también la población de caracoles y babosas de todo el jardín. Los peces son otras víctimas de estos biocidas.

Sapo en un estanque, muy sensible a los tóxicos.

Los peces son otras víctimas de los biocidas aplicados al jardín y al estanque.

El control de algas es un factor clave en todo estanque para que este no se transforme en una *"sopa de arvejas"*, que puede provocar una falta de oxígeno y consecuentemente, la asfixia de los organismos acuáticos mayores. Unos pequeños atados de paja de cebada pueden ser la solución. En presencia de oxígeno y luz solar, la paja de cebada comienza a descomponerse lentamente liberando al medio peróxido de hidrógeno (H_2O_2), el cual controla el desarrollo de las algas pero no perjudica el de las otras plantas. Un atado de 250 g de paja de cebada alcanza para tratar un volumen de 50 a 70 m^3 de agua y será efectivo de 2 a 8 semanas dependiendo de la temperatura del agua. Para mayor efectividad, es conveniente anclarlo cerca de una caída de agua, donde recibirá más oxígeno.

Una gran proliferación de algas puede provocar una falta de oxígeno.

Planta Acordeón (Salvinia natans), *actúa como un filtro biológico.*

Repollito de agua (Pistia stratiotes), *planta con una importante acción depuradora.*

Para reciclar los nutrientes y ponerlos a disposición de todos los seres vivos del jardín, es preciso cerrar la cadena alimentaria extrayendo con rastrillo y compostando de forma continua las algas y las plantas que se desarrollen en exceso.

Las plantas acuáticas tienen una importante acción depuradora sobre las aguas residuales domésticas. Funcionan como un filtro biológico removiendo sustancias tanto biodegradables como no biodegradables, exceso de nutrientes, sustancias tóxicas y microorganismos patógenos. La planta acordeón *(Salvinia natans)*, el repollito de agua *(Pistia stratiotes)*, el camalote *(Eichornia crassipes)*, la lenteja de agua *(Lemna gibba)* y el helechito de agua *(Azolla filiculoides)* se encuentran entre las más efectivas.

CAPÍTULO
5

El jardín orgánico
en la ciudad

Capítulo 5

El jardín orgánico en la ciudad

Esta categoría comprende desde los jardines unifamiliares de diferentes dimensiones hasta la jardinería desarrollada en patios, balcones, terrazas y espacios interiores.

Los contaminantes aéreos gaseosos como el NO_2, SO_2, CO_2, las partículas de polvo atmosférico, los contaminantes del suelo e incluso la contaminación sonora, se reducen significativamente con la presencia de especies vegetales en la urbe. Este efecto se denomina fitorremediación.

Con la incorporación de plantas adaptadas mediante un tratamiento técnico constructivo adecuado es posible ganar superficies verdes dentro de la ciudad.

Jardines verticales, techos verdes, bulevares, jardines y plazas que conformen finalmente corredores biológicos urbanos, contribuirán a volver la ciudad más ecológica. Las investigaciones realizadas en psicología ambiental revelan que estos espacios verdes inciden poderosamente en la salud psíquica de los ciudadanos, llegando a potenciar los aspectos más positivos de su desarrollo personal. Cada pequeño jardín es una célula de este enorme organismo regulador, conducirla orgánicamente será nuestro compromiso y una parte de la futura solución.

Los espacios verdes inciden positivamente en la salud psíquica de los ciudadanos.

Las plantas como este jazmín azórico, que cubren las paredes, permiten ganar superficies verdes en los centros urbanos.

Las plantas consiguen acercar la naturaleza hasta en los sectores más céntricos.

El jardín en macetas

En patios, balcones o terrazas es posible tener pequeños "edenes urbanos" cultivados en macetas o contenedores.

Las macetas son el soporte más adecuado cuando no contamos con un terreno, pero no deben ser un foco de atención en el diseño de estos jardines particulares, sino un complemento para permitir el desarrollo saludable de las plantas. Existen macetas con estilos muy definidos que realzan la belleza del vegetal que contienen. Macetas cerámicas con diseños orientales conteniendo un *Acer palmatum dissectum* o macetas de terracota con gera-

nios floridos son complementos perfectos.

En la actualidad, el mercado ofrece muchas opciones en formas y tamaños, y para hacer una elección correcta es importante conocer las necesidades específicas de cada especie. Recordemos que una planta estresada por tener limitado su desarrollo radicular y la correcta absorción de agua y nutrientes será más susceptible del ataque de una plaga o una enfermedad.

Grupo de macetas que conforman un jardín en una terraza italiana,

Plantas aromáticas en macetas.

Los materiales más utilizados en la fabricación de macetas y contenedores son:

- **Terracota o barro cocido:** se ha utilizado desde los comienzos de los cultivos fuera del suelo. El barro cocido es un material poroso y con gran valor estético. Sus desventajas son su peso y sobre todo, su fragilidad. A nivel decorativo, dan un acento mediterráneo a los espacios.

- **Fibrocemento y piedra París:** con estos materiales se fabrican en general los contenedores de mayor capacidad, son más pesados que los plásticos, pero estratégicamente ubicados en las zonas de más resistencia de terrazas y balcones son adecuados para plantar arbustos y pequeños arbolitos. Son la clave de un diseño minimalista combinados con cañas y piedras. Si el espacio es muy pequeño, es conveniente evitarlos, ya que pueden ser estéticamente "pesados".

- **Cemento:** tinajas, pailas, macetas cónicas, fuentes, copones y cilindros, entre otros se fabrican con este material. Ideal para patios y veredas. Su peso no lo hace indicado para balcones y terrazas.

- **Materiales plásticos:** los plásticos no presentan porosidad, pero tienen la gran ventaja de ser muy livianos, resistentes y económicos. Actualmente se fabrican contenedores plásticos reforzados y de gran valor estético que imitan de forma muy convincente a los de terracota, piedra o madera. No tienen el encanto de los materiales naturales, pero son una alternativa válida para balcones y terrazas.

- **Metálicos:** en general de aluminio galvanizado. Por sus líneas rectas, se los incluye en diseños contemporáneos.

- **Madera:** con este material se fabrican grandes contenedores y portamacetas alargados para los alféizares de las ventanas. Son fuertes y duraderos. Su desventaja es el precio y requieren cuidados de mantenimiento. En tronco de palmera se fabrican macetas de aspecto rústico muy decorativas. Es importante elegir maderas con sello de reforestación.

Macetas de barro cocido: son porosas, estéticas y frágiles.

Jardineras de fibrocemento: con este material se fabrican los contenedores de mayor capacidad.

Laurel conducido como arbusto en una maceta de cemento.

Macetas de cemento pintado: económicas y resistentes. Su peso (vacías) es un factor para tener en cuenta.

Macetas plásticas: no presentan porosidad, pero son livianas, económicas y resistentes.

Porosidad y permeabilidad de las paredes de los contenedores

Las macetas de terracota presentan una porosidad que será variable dependiendo del tipo de arcilla con que fueron construidas.

Si bien no son muy permeables, la evaporación del agua en la cara externa de la maceta crea una succión que provoca la transferencia del agua desde el sustrato hacia el exterior.

Este paso de agua no es nada despreciable sobre todo en ambientes secos y con elevada temperatura. Los depósitos de sales que se observan en este tipo de contenedor son la evidencia de esta transferencia.

Los materiales plásticos no son ni permeables ni porosos. El riego para el desarrollo saludable de las plantas va a depender en gran medida del tipo de pared de los contenedores y de las condiciones ambientales.

La salud de las raíces, y por ende de las plantas, también va a depender de la circulación de aire en un sustrato. En general, estas mezclas son muy porosas, pero una vez que el sustrato comienza a compactarse, las raíces se ubican en la parte superior del contenedor, más rica en aire. Cuando su desarrollo horizontal se ve impedido por la pared de la maceta, las raíces se desarrollan preferentemente en la interfaz

sustrato/pared. Este fenómeno se observa claramente al renovar las plantas anuales: el sustrato se ha compactado y hay una gran masa de raíces rodeando todo el cepellón.

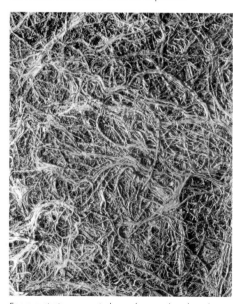

En un sustrato compactado se observa cómo las raíces se desarrollan en la interfaz sustrato/pared.

El peso de un jardín en macetas

La tierra y los sustratos son elementos pesados y más aún cuando están húmedos. Por esta razón, es muy importante conocer la resistencia de cada balcón.

En los balcones, reservaremos los espacios más cercanos a la pared para los contenedores más pesados, ya que es la zona de mayor resistencia, y ubicaremos en los bordes las macetas más livianas.

En las terrazas, es importante aprovechar los bordes o cargas para apoyar los contenedores más pesados, pues ahí la resistencia es mayor.

Macetas pesadas

Macetas livianas

En los balcones, los contenedores más pesados deben ubicarse junto a la pared ya que es la zona de más resistencia.

Los sustratos

Cuando cultivamos en contenedores, maceteros o jardineras, estaremos trabajando con sustratos. Estos estarán compuestos por diferentes mezclas que optimizarán el crecimiento vegetal dentro del volumen limitado que tiene un contenedor.

Un sustrato consiste en un sistema formado por tres fases: sólida, líquida y gaseosa. En ese ambiente, se desarrollarán las raíces y debemos proveerle de las condiciones más aptas para un crecimiento saludable.

Se considera que un buen sustrato debe tener aproximadamente 85% de porosidad total. Un suelo en general no supera el 50% de poros.

El manejo de las plantas en un contenedor es mucho más intensivo que en un suelo, ya que la gran superficie de estos, en relación con su volumen, les confiere poca plasticidad ante variaciones ambientales, estando las raíces expuestas a fluctuaciones de disponibilidad de agua o de variaciones de temperatura, entre otros factores. El balance de macro y microporos en la mezcla es fundamental, ya que los primeros son responsables de retener el agua y los segundos, de la circulación de los gases, principalmente del oxígeno, un gas vital para la vida radicular.

Proporciones de los diferentes sustratos en el corte de un contenedor.

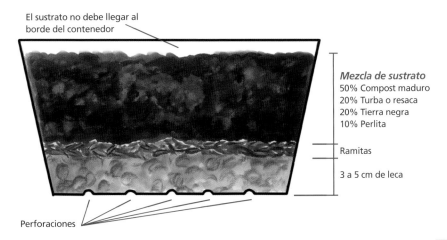

El sustrato no debe llegar al borde del contenedor

Mezcla de sustrato
50% Compost maduro
20% Turba o resaca
20% Tierra negra
10% Perlita

Ramitas

3 a 5 cm de leca

Perforaciones

Propiedades de los sustratos artificiales

El sustrato con el que llenaremos los contenedores será una mezcla de distintos componentes. Cada uno aportará sus características que, sumadas, darán un sustrato óptimo para el desarrollo de las plantas.

Propiedades físicas

Un sustrato para maceta debería contar con gránulos considerablemente más gruesos que los de la tierra de un suelo. Esto facilita la aireación, pero también limita la retención de agua. Al hacer una mezcla con sustancias orgánicas y minerales, hay que lograr el equilibrio entre la retención de agua y la aireación. Muchos sustratos artificiales como la turba, la resaca o el compost son orgánicos. La materia orgánica tiene propiedades tales como baja densidad, elevada porosidad, gran capacidad de intercambio iónico y alta capacidad de retención de agua. Una parte del sustrato suele estar formada también por sustancias minerales naturales o artificiales como son la arena, la perlita o la vermiculita. Estos productos minerales tienen una elevada densidad real, una densidad aparente muy baja y son muy porosos. La densidad real de un sustrato se refiere a la densidad del material sólido que lo compone; y la densidad aparente es la calculada considerando el espacio total ocupado por el material sólido más el espacio poroso. Se entiende por "intercambio iónico" a la capacidad de intercambiar iones o nutrientes que poseen algunos coloides del sustrato.

Un buen sustrato debe:

- **Permitir la aireación de las raíces.**
- **Evitar el apelmazamiento.**
- **Retener los nutrientes para que estén disponibles para la planta.**
- **Retener el agua sin perjudicar la aireación de las raíces.**
- **Si se seca, volver a mojarse con facilidad.**

Mezcla de sustratos.

No siempre los sustratos armados artificialmente están en condiciones de aportar los nutrientes necesarios. Por lo tanto, al momento de su preparación, recurriremos al uso de algún material orgánico compostado como el humus de lombriz o el compost maduro para lograr una mezcla completa.

Características de algunos sustratos

El mercado ofrece diferentes sustratos naturales y sintéticos. A continuación, se detalla las características específicas de los más utilizados en jardinería.

Las turbas

Son el producto de la fermentación incompleta de restos vegetales por acción del agua en condiciones anaeróbicas y frías a través de miles de años.

Comercialmente, existen dos tipos: turba de Carex, formada por gramíneas y líquenes; y la turba de musgo Sphagnum o turba rubia. Debido a su origen, las turbas están libres de sustancias contaminantes, favorecen la retención de agua y nutrientes, son muy livianas y poseen un pH ácido (entre 4 y 5).

Forman parte de la mezcla de sustratos para cultivar en macetas, de la mezcla para la siembra y son excelentes para el enraizamiento de esquejes.

Las más utilizadas para macetas o contenedores son las turbas rubias, pues poseen una excelente porosidad y son buenas receptoras de soluciones nutritivas. Proporcionan gran aireación a las raíces, son muy livianas y están libres de patógenos y semillas de malezas. Después de su humedecimiento, pueden ser utilizadas inmediatamente. La presentación de este tipo de material no siempre es la misma, esto depende del proveedor; existen algunas que ya vienen desmenuzadas y humedecidas, lo cual es muy conveniente a la hora de trabajarlas en la mezcla de un sustrato. Pero si nos encontramos con un embalaje que contiene turba apelmazada y seca, es recomendable desmenuzarla, "amasarla" y humedecerla ligeramente, ya que de lo contrario, se dificulta su manipulación.

Turba: sustrato orgánico, ácido y muy liviano. Favorece la retención de agua y nutrientes.

Arena

Es una de las sustancias más utilizadas en las mezclas para sustratos, pero se debe incorporar en cantidades pequeñas. La arena mejora la estructura del sustrato, pero aporta peso. Las arenas utilizadas no deben contener elementos nocivos tales como sales, arcillas o plagas. La arena de río, que es la mejor, debe estar limpia para ser utilizada en una mezcla de sustratos. Aquella usada en construcción no es recomendable porque tiene mucha arcilla y por lo tanto, se compacta.

Arcilla expandida o leca

Son esferas de arcilla con una granulometría variada obtenidas a partir de cierto tipo de arcilla sometida a altas temperaturas. Este sustrato posee una baja capacidad de retención de agua y una buena capacidad de aireación. Su pH está entre 5 y 7. Su uso, en general, es para formar una capa de drenaje de los contenedores.

Perlita agrícola

Este sustrato mineral de origen volcánico blanco e inerte se forma luego de que ha sido expandido por calentamiento a casi 1000 °C. Su pH es neutro y retiene de 3 a 4 veces su peso en agua. En la mezcla de sustratos, proporciona aireación y aumenta la retención hídrica. Los yacimientos donde se extrae este mineral se encuentran en la provincia de Salta, en el norte de la Argentina.

Arcilla expandida.

Perlita agrícola.

Vermiculita

Es un silicato de aluminio, hierro y magnesio de estructura micácea. Su pH es neutro y retiene un 40 ó 50% de su peso en agua. Posee buena capacidad de intercambio iónico. Se comercializa en cuatro tamaños diferentes de partículas.siendo las de 0,75 a 1 mm de diámetro, las más usadas para la mezcla de germinación de semillas.

Vermiculita.

¿Cómo calcular la cantidad de sustrato?

Los sustratos se comercializan en bolsas de diferentes tamaños y el contenido viene expresado en dm^3. Esta tabla nos permite calcular el número de bolsas que vamos a precisar para llenar los contenedores.

Medidas del contenedor Largo x ancho x alto (cm)	Capacidad Volumen (dm^3)	Medidas del contenedor Largo x ancho x alto (cm)	Capacidad Volumen (dm^3)
120 x 30 x 30	108	100 x 30 x 30	90
100 x 50 x 50	250	80 x 30 x 30	72
100 x 40 x 40	160	60 x 30 x 30	54

Ejemplo: si la capacidad del contenedor es de 250 dm3, necesitaremos 5 bolsas de 50 dm3 para llenarlo.

¿Cómo colocar una planta en una maceta?

1. Hacer perforaciones en el fondo del contenedor que permitan la eliminación del exceso de agua (por riego o por lluvias excesivas).

2. Colocar una capa de 3 cm de leca (o piedras partidas, canto rodado, trozos de ladrillos o macetas de terracota). La ventaja de la leca sobre el resto de los materiales es su poco peso, pero en condiciones de patio o vereda es importante la reutilización de materiales sin importar el peso que aporten a la maceta.

Perforaciones en la base del contenedor.

3. Incorporar la mezcla de sustrato más adecuada para la planta trasplantada. Una mezcla general puede ser: 50% de compost maduro + 20% de turba o resaca de río + 20% de tierra negra + 10% de perlita agrícola. El viverista o la bibliografía nos orientarán sobre el tipo de sustrato que exige cada planta.

4. Colocar la planta sobre un colchón de sustrato e incorporar el resto de la mezcla hasta 1 cm antes del borde.

5. Una vez terminada la tarea, colocar una cobertura natural y regar. Si tenemos inóculo de micorrizas, es la oportunidad perfecta para su aplicación. Sustratos muy ácidos como los que requieren las azaleas, no se micorrizan.

Incorporación de la capa de leca.

Mezcla de sustratos.

El jardín orgánico interior

Las plantas de interior tienen en general un origen tropical, lo cual nos da pautas sobre sus exigencias de cultivo. En estos espacios también podemos cuidarlas de forma ecológica.

Con frecuencia las plantas de interior son consideradas como objetos decorativos que añaden un toque especial de color o como complemento para realzar un diseño interior. Sin evaluar las condiciones ambientales, se ubican las plantas y al no encontrar estas el medio más adecuado, en poco tiempo comienzan a sufrir los efectos de la falta de luz, el exceso de calefacción, el riego incorrecto o los contenedores inadecuados. La jardinería orgánica interior prioriza la salud de las plantas al estilo decorativo. La consigna es: la planta correcta en el lugar más adecuado. Al igual que en el jardín exterior, es importante observar las condiciones a las que van a estar expuestas las plantas y no concebir-

Las plantas de interior, en general, tienen un origen tropical. Este dato nos da la pauta de sus exigencias de luz, de humedad ambiente y de temperatura.

las como elementos aislados, sino como una parte de un ecosistema vivo. En los interiores esto se complica, ya que se trata de un entorno extraño para ellas y su existencia dependerá totalmente del cuidado que reciban. Es necesario crear un "miniecosistema" para proporcionarles suficiente luz, agua, nutrientes y temperatura. Aunque la mayoría de las plantas de interior disfrutan de una humedad relativa del 60%, los interiores domiciliarios están al 20% en los espacios de estar y al 50% en cocinas y baños. En general, las plantas de interior tienen un origen tropical. Este dato nos da la pauta de sus exigencias de luz, humedad ambiente y temperatura. Otras plantas no tropicales son más versátiles y soportan rangos mayores de temperatura y humedad sin evidenciar daños. La bibliografía será de gran ayuda, aportándonos datos de requerimientos de sustrato, exigencias ambientales y tamaño máximo que pueden llegar a alcanzar con el tiempo.

Saludable compañía

Las plantas de interior filtran y purifican el aire por absorción y sedimentación. Las superficies de las hojas atrapan el hollín y el polvo en suspensión. Por medio de la fotosíntesis, oxigenan los ambientes y a través de la transpiración de las hojas y la absorción de agua por las raíces, las plantas ayudan a regular la humedad y modificar la temperatura de los ambientes.

Las superficies de las hojas atrapan el hollín y el polvo en suspensión.

Plantas tan habituales como el lazo de amor o cintas argentinas *(Chlrophytum elatum var vittatum)* absorben eficientemente el formaldehído, uno de los contaminantes más comunes en el interior de las casas. Este se encuentra en las resinas y se usa en productos de consumo como bolsas de basura, toallas de papel, alfombras, revestimientos, colchones de espuma o en la madera aglomerada. Para purificar el aire, 4 ó 5 plantas dentro de una casa son suficientes. También las cocinas y las estufas de gas liberan esta sustancia que puede provocar desde irritación de ojos, nariz y garganta hasta ataques de asma o enfermedades respiratorias crónicas. El xileno y el benceno son otros dos contaminantes frecuentes en los interiores domiciliarios eficazmente depurados por las plantas de interior. Los sustratos ricos en compost también ayudan a purificar el aire, ya que sus microorganismos actúan como esponjas que absorben gases y vapores, especialmente el monóxido de carbono, uno de los componentes principales del humo de tabaco.

Los estudios más exhaustivos sobre la capacidad purificadora de las plantas en los espacios cerrados fueron realizados por la Agencia Espacial Americana (NASA), y Bill Wolverton, uno de los científicos participantes de dichos estudios, seleccionó las 50 plantas con mayor eficiencia en la eliminación de gases nocivos. Entre las más conocidas y eficientes se encuentran la hiedra *(Hedera helix)*, palmeras como *Phoenix dactylifera* y *Howea belmoriana*, helechos como *Nephrolepis cordifolia* y plantas siempre presentes en los interiores como difenbaquia *(Dieffenbacchia amoena)*, palo de agua *(Dracaena fragans)*, aralia *(Schefflera actinophylla)*, lazo de amor *(Chlrophytum elatum var vittatum)*, sanseviera *(Sansevieria trifasciata)* y filodendro *(Philodendron sp.)*.

Existen plantas que tienen la capacidad de corregir alteraciones electromagnéticas producidas por las pantallas de televisión, los monitores de las computadoras o los hornos microondas. Estas son: cactus candelabro *(Cereus peruvianus)*, pilocereus *(Pilosocereus azureus)*, pachicereus *(Pachycereus pringuey)* o el tan común espatifilo *(Spathiphyllum wallisii)*.

Filodendros (Philodendron sp.).

Lazo de amor (Chlrophytum elatum var vittatum).

Espatifilo (Spathiphyllum wallisii).

Hiedra (Hedera helix).

CAPÍTULO
6

El cuidado del
jardín orgánico

Capítulo 6
El cuidado del jardín orgánico

Cuando un jardín está inteligentemente diseñado y se han seguido pautas biológicas básicas, su mantenimiento demanda poco tiempo y esfuerzo.

Si bien la inversión en horas es mayor en la etapa de diseño de un jardín orgánico, este disminuye con el correr del tiempo al establecerse como un sistema equilibrado. Suelo, plantas, animales y jardinero comienzan a tener la "misma frecuencia".

Los jardineros orgánicos estadounidenses Jeff Ball y Charles Cresson calcularon que 20 m2 de superficie de canteros con plantas florales estacionales y herbáceas perennes demandan solamente 1 hora por semana de cuidado.

El secreto está en que un jardín orgánico ahorra tiempo en:

Riego	Fertilizaciones	Control de plagas	Control de malezas

La presencia de las coberturas naturales reduce drásticamente los tiempos de control de malezas y de frecuencia de riegos. Si este se automatiza y se hace por goteo, aumenta aún más el ahorro en tiempo.

Criterio orgánico de riego

Las plantas se mantienen sanas mientras no les falte agua en la cantidad correcta.

Con la incorporación de materia orgánica al suelo, aumentará su capacidad de retención del agua principalmente en los arenosos y se observarán mejoras en los suelos pesados y compactos. En verano, los riegos deben ser diarios y es conveniente evitar las horas de sol fuerte, se estima que se necesitarán de 3 a 5 litros de agua por m2 de tierra. En invierno, los riegos serán más espaciados y en las horas de sol. Los volúmenes de agua para el riego pueden variar mucho dependiendo el tipo de suelo, los vientos y el uso de coberturas.

Instalación del riego por goteo previa a la plantación.

Riego por goteo disimulado por la cobertura.

¿Cómo evitar la pérdida de agua por evaporación y transpiración?

- *Mejorar el suelo:* la manera más rápida y mejor de retener la humedad es incorporando materia orgánica en forma de compost y coberturas vivas.

- *Usar coberturas naturales:* cortes secos de césped, hojas secas o cortezas que mantienen el suelo fresco, retienen humedad y lo protegen de los efectos del sol y del viento. Con el tiempo estas coberturas pasarán a formar parte de la materia orgánica del suelo, por lo tanto, debemos reponerlas con cierta frecuencia.

- *Regar con inteligencia:* las plantas requieren agua continuamente. Las demandas son mínimas por la noche y máximas al mediodía. La mejor hora para regar es la mañana ya que se minimiza la evaporación y al mediodía las plantas tendrán cubiertas sus necesidades. Las herbáceas pueden necesitar agua diariamente, pero no los sectores con césped o pequeñas praderas que con un solo riego semanal será suficiente; asimismo, durante la época estival, los cortes de césped, si los realizamos a más altura, permitirán mantener el suelo fresco y conservar la humedad.

- *Construir protecciones para filtrar el viento:* el calor y la falta de lluvia son característica de la sequía, pero el viento puede ser un enemigo peligroso al "deshidratar" las plantas. Un cerco vivo que proteja el jardín y frene al viento es la solución que parte desde su diseño.

La incorporación de materia orgánica ayuda a retener la humedad en el suelo.

El riego manual permite focalizar las necesidades de riego.

¿Cómo mantenemos la fertilidad en un jardín orgánico?

La jardinería orgánica se vale de tres recursos para cuidar e incrementar la fertilidad del suelo.

- **Rotar las plantas anuales.**
- **Asociar diferentes plantas.**
- **Abonar de forma ecológica**

La rotación de las plantas anuales

La rotación consiste en aprovechar las diferentes capacidades de las plantas para extraer nutrientes y en la aptitud que tienen otras especies de mejorar y enriquecer el suelo.

Rotando las plantas estacionales año tras año logramos también prevenir el ataque de plagas y enfermedades. Si observamos plagas o enfermedades en un tipo particular de planta, es importante que la próxima que ocupe el lugar en el cantero pertenezca a otra familia botánica. Por ejemplo, los alelíes *(Matthiola incana)*, pertenecientes a la familia Brasicáceas o Crucíferas, suelen presentar *"hernia de las raíces"*, enfermedad provocada por el hongo *Plasmodiophora brassicae* que se caracteriza por la formación de tumores alargados en las raíces de las plantas. Las otras crucíferas ornamentales son también susceptibles al hongo, por lo tanto evitaremos plantar en ese sector carraspique *(Iberis umbellata)*, flor de nácar *(Lunaria annua)*, aliso *(Lobularia marítima)*, alelí de mahón *(Malcomia marítima)* o alelí amarillo *(Erisimum cheiri)*. La solarización es una técnica orgánica de esterilización de suelos, pero esta es más indicada para ser aplicada por productores comerciales que por amantes de la jardinería, donde simplemente rotando de familia botánica evitaremos el problema.

Típica flor de una crucífera con 4 pétalos en forma de cruz.

Flores blancas de una crucífera.

Alelí de Mahón (Malcomia marítima).

Las asociaciones benéficas

Las plantas modifican su entorno a causa de las secreciones de las raíces y por esta razón, influyen en el crecimiento de las plantas vecinas.

Las asociaciones de plantas se basan en las observaciones y experiencias de los agricultores orgánicos durante años. Las investigaciones científicas aportan más información sobre los procesos que estimulan o inhiben el crecimiento de plantas vecinas.

Asociar significa combinar dos plantas con un fin particular. Este fin suele ser generalmente el control de plagas, pero en la práctica son más los factores que inciden en el buen desarrollo de los cultivos asociados.

Algunas plantas ornamentales benéficas son: cresta de gallo *(Celosia sp)*, aster *(Aster sp.)*, rudbeckia *(Rudbeckia bicolor)*, caléndula *(Calendula officinalis)*, cosmos *(Cosmos bipinnatus)*, cosmos *(Cosmos sulphureus)*, taco de reina *(Tropaeolum majus)*, petunia *(Petunia x hybrida)*, poroto de egipto *(Dolichos lablab)*, arvejilla de olor *(Lathyrus odoratus)*, copete *(Tagetes patula)*, aliso *(Lobularia marítima)* y coreopsis *(Coreopsis tinctorea)*.

Poroto de Egipto (Dolichos lablab).

Caléndula (Calendula officinalis).

Copete (Tagetes sp.).

Fruto de Poroto de Egipto (Dolichos Lablab).

Taco de Reina (Tropaeolum majus).

Arvejilla de olor (Lathyrus odoratus).

Cresta de Gallo (Celosia sp.).

No todos los insectos son enemigos. Asociando con plantas que den protección a los preda-dores no sólo aumentaremos la biodiversidad sino que estos insectos controlarán las plagas. Como hay plantas que se desarrollan de manera particularmente buena al estar juntas, hay otras que prefieren mantener alejadas a las vecinas por medio de inhibidores químicos que liberan al aire o al suelo. Este fenómeno se denomina alelopatía. La artemisia *(Artemisia absinthium)*, la cucaracha *(Acanthus mollis)* y la *Salvia leucophylla* pueden interferir en el desarrollo de las plantas cercanas, inclusive las caléndulas tienen un suave efecto alelopático mientras se están desarrollando.

Cucaracha (Acanthus mollis).

Los abonos naturales

En un jardín orgánico no se recurre a fertilizantes en forma de sales de síntesis química, entonces: ¿cómo reponemos los nutrientes consumidos por las plantas? Nosotros no somos los encargados de reponer los nutrientes sino que ese trabajo lo delegamos a los microorganismos que forman la vida en el suelo. Nuestro trabajo será estimular su actividad proporcionándoles materia orgánica y un medio adecuado para su desarrollo y más tarde, serán ellos quienes pondrán a los nutrientes a disposición de las plantas.

Las sales químicas son muy solubles y son tomadas a gran velocidad por las plantas corriéndose el riesgo muy frecuente de un exceso de nutrientes, este exceso disminuye la resistencia de las plantas volviéndolas más sensibles al ataque de plagas o enfermedades.

Cuando decidimos dónde ubicaremos nuestro jardín es útil recurrir a un análisis de suelo previo, este nos proporcionará información precisa sobre las cualidades y las deficiencias. El buen manejo de la materia orgánica en el jardín nos llevará a alcanzar un equilibrio sin deficiencias de los elementos nutritivos más importantes.

El nitrógeno (N) es el nutriente necesario en mayor cantidad por las plantas y el más propenso a ser lixiviado por la lluvia o los riegos. Las leguminosas como las arvejillas de olor (*Lathyrus odoratus*) son grandes fijadoras de nitrógeno debido a su asociación en nódulos radiculares con bacterias del género *Rhizobium*. El fósforo (P) es fundamental para la floración de arbustos y herbáceas. La harina de hueso es una buena fuente orgánica de este nutriente. El potasio (K, de *kalium* en latín) promueve el desarrollo del sistema radicular. La ceniza de madera es muy rica en potasio.

Caracolito (Vigna adenantha), *ornamental, leguminosa y nativa.*

Las arvejillas de olor (Lathyrus odoratus) *son grandes fijadoras de nitrógeno debido a su asociación en nódulos radiculares con bacterias del género* Rhizobium.

Las lombrices y los microorganismos del suelo son los encargados de reponer los nutrientes consumidos.

Consuelda (Symphitum sp.). *Sus hojas son ricas en potasio.*

Fuentes de nitrógeno (N), fósforo (P) y potasio (K) de origen natural

- **Harina de sangre:** (12,5% de N; 1,3 % de P; 0,7 % de K): es una fuente de nitrógeno de efecto rápido.

- **Harina de hueso digestada :** (1% de N; 11% de P): es una excelente fuente de fósforo, debe aplicarse cerca de las raíces. Se fabrica moliendo huesos libres de grasa (cocidos al vapor), por lo tanto no tiene el fuerte olor característico de la harina de hueso tradicional. La harina de hueso calcinada (o ceniza de hueso) es otra opción. Las concentraciones de fósforo en cada presentación varían según el fabricante.

- **Ceniza de madera :** (1 a 10% de K): proviene de la combustión de la madera. La ceniza tiene un efecto alcalinizador en el suelo, por lo tanto, debe usarse con cautela si el pH del suelo es mayor a 6,5.

Harina de sangre.

Estiércol de caballo.

Los estiércoles son abonos de origen animal. Los de caballo, vaca, oveja, cabra y conejo son ricos en N pero es recomendable compostarlos antes de su aplicación. Los estiércoles de aves son ricos en P. Para evitar "quemaduras" por el ácido úrico, también es necesario que se composten previamente.

Los abonos líquidos o purines en base a vegetales son soluciones fermentadas ricas en nitrógeno y potasio. El purín más conocido es el realizado en base a ortigas (rico en N). Se emplea la planta fresca que se corta desde la primavera hasta el verano. El purín realizado en base a Consuelda es rico en K.

Ceniza.

Harina de hueso. Fertilizante proveedor de fósforo de ori-gen orgánico.

Purín de ortigas.

Preparación de purín de ortigas

1. Dentro de un contenedor, colocar las ortigas trozadas y desmenuzadas, luego cubrir con agua de lluvia. Para reemplazar el agua de lluvia es conveniente usar agua reposada al sol.

2. Con una varilla revolver diariamente la mezcla para oxigenarla. Dependiendo la temperatura exterior, este purín estará listo de 10 a 20 días, su color será oscuro y ya no tendrá espuma.

3. Posteriormente, filtrar y diluir 1:10 para su utilización.

Recolección de hojas de ortiga para la preparación del purín.

También se preparan purines en base a consuelda *(Symphitum sp.)*, cola de caballo *(Equisetum sp.)* y diente de león *(Taraxacum officinale)*.

En la actualidad, existen líneas comerciales de fertilizantes orgánicos líquidos para plantas de interior y exterior. Son ideales para aplicaciones foliares con pulverizador.

El compost en el jardín

El compost no es propiamente un abono, sino que actúa como un regenerador orgánico de suelos.

"Compostar" consiste en inducir una fermentación aerobia a una mezcla de materiales orgánicos a fin de transformarla en una masa homogénea, de estructura grumosa, rica en humus y microorganismos.

Cuando compostamos, imitamos a la naturaleza en su forma de reciclar, pero con las condiciones de temperatura y humedad que aceleren este proceso.

En la naturaleza, cuando un animal muere, comienza su descomposición producida por la acción de microorganismos, larvas de insectos, agua, luz y aire para finalmente incorporarse al suelo y nutrirlo. Las hojas de los árboles caducos que caen al suelo lentamente se van descomponiendo e incorporándose al suelo en forma de humus. Los estiércoles sufren un proceso de fermentación interno para luego también enriquecer el suelo. La enorme "cabellera" formada por las raíces de las plantas no sólo ejerce un trabajo de labranza en el suelo, sino que al morir la planta, la desintegración de estas raíces se "composta" y se incorpora al suelo.

Pila de compost.

En general, podemos decir que la incorporación de compost en un suelo:

- Favorece la retención de agua: debido a su "efecto esponja" retiene 6 veces su peso en agua.
- Airea el suelo: al tener una estructura migajosa, muy porosa; aumenta la circulación de aire en el suelo favoreciendo la vida de los microorganismos benéficos.
- Evita la erosión: al no formarse capas duras ("costras"), el agua penetra en el perfil permitiendo el desarrollo de las plantas que evitarán la erosión superficial del suelo.

Una pila de compost libera CO$_2$ y energía en forma de calor.

- Nivela el pH: un suelo rico en materia orgánica permite que las plantas resistan mejor los cambios de pH.

- Libera nutrientes: los ácido húmicos ayudan a disolver los minerales del suelo, dejándolos a disposición de las plantas.

- Promueve la actividad biológica: los microorganismos son indispensables para la salud del suelo. En un gramo de humus hay aproximadamente mil millones de microorganismos entre bacterias, hongos, algas y actinomicetes. Estos organismos descomponen las sustancias orgánicas en sus componentes básicos: agua, CO_2 y minerales.

- Induce la resistencia de las plantas: favorece el desarrollo de antibióticos naturales y mecanismos de defensa de las plantas. Lombrices y hongos benéficos necesitan del compost para desarrollarse libremente

Mediante la construcción de una pila de compost se intenta imitar el proceso de descomposición que se da naturalmente en suelos biológicamente activos. En este proceso intervienen: la materia orgánica recolectada, los organismos vivos, el agua y el oxígeno. Los microorganismos necesitan la materia orgánica para nutrirse y emplean el oxígeno del medio para reacciones oxidantes, utilizando el carbono y el nitrógeno de la materia orgánica para construir la estructura de sus propios cuerpos y liberando dióxido de carbono y calor al medio, lo que provoca un aumento en la temperatura de la pila de compost.

El carbono es el elemento que encontramos en mayor proporción en los restos orgánicos, bajo la forma de carbohidratos, unos son más fáciles de descomponer como los azúcares y otros más complejos y de descomposición más lenta como la celulosa y la lignina. Restos de plantas, malezas y cortes de césped fresco son ricos en azúcares. La paja y las hojas secas son ricas en celulosa y las ramas en lignina. El nitrógeno es el otro elemento indispensable en este proceso, está presente en las estructuras orgánicas a descomponer en forma de aminoácidos y proteínas. Será principalmente aportado por los estiércoles animales. Los microorganismos del compost atacan la materia orgánica en presencia de oxígeno produciéndose de esta forma una oxidación. Dióxido de carbono (CO_2) y energía en forma de calor se liberan al medio. Las 2/3 partes del carbono de los materiales compostados se van en estas reacciones y la tercera parte restante, combinada con el nitrógeno, es utilizada por los microorganismos para formar la estructura de sus propios cuerpos.

Cobertura de paja en una pila de compost.

Estas proporciones nos indican que hay una relación definida entre el carbono y el nitrógeno, siendo de 30 partes de carbono por 1 de nitrógeno. Esta proporción se denomina relación C/N. Conocer la relación C/N de los diferentes materiales a compostar nos ayudará a saber con qué materiales hacerlo y en qué cantidad.

Relación carbono/nitrógeno de diferentes materiales orgánicos

Material	Relación C/N
Césped cortado	10-15/1
Desperdicios de cocina	15-25/1
Estiércol equino con paja	20-40/1
Hojas de roble secas	50-60/1
Hojas secas	20-35/1
Orina	1/1
Ortiga	15-30/1
Paja de trigo	100-130/1
Ramas trituradas	25-40/1

Si en nuestra pila de compost tenemos un exceso de carbono, la actividad bacteriana disminuirá, inclusive algunos organismos morirán liberándose al medio el nitrógeno presente en sus células. Otros organismos tomarán ese nitrógeno y reiniciarán el ciclo. Con el tiempo, esta relación C/N se corrige produciéndose la descomposición definitiva. El compost se formará, pero tardará más de lo normal. Si el exceso lo tenemos en forma de nitrógeno, ya que incorporamos mucho estiércol, los microorganismos atacarán el sustrato liberando el nitrógeno en forma de amoníaco. Esto significa un derroche ya que de haber hecho una proporción correcta este nitrógeno hubiera sido fijado en el producto final.

Un compost debe ser cuidadosamente elaborado y orientado para su maduración correcta.

Compost maduro.

Jardines orgánicos costeros

En estos jardines, pueden incorporarse numerosas especies de algas marinas en la pila de compost, estas son ricas en agentes antibacterianos y antifúngicos además de aportar N, P y oligoelementos.

Tip: el troceado y la fragmentación previa de los materiales facilitan el proceso de degradación y descomposición, ya que estos van a presentar mayor superficie para ser atacada por los microorganismos. Si se dispone de una biotrituradora, es posible compostar ramas de diversos calibres.

Trozado de material para compostar.

Biotrituradora.

Las algas dejadas por el mar en la orilla son un rico aporte para el compost.

Construcción de una pila de compost

1. Elegir un lugar a media sombra, idealmente bajo un árbol caducifolio, que en verano protegerá la pila del sol y en invierno permitirá que el sol entibie la pila, acelerando el proceso.

2. Para armar una pila inicial es conveniente partir de una superficie de 1 m x 1 m, con una altura de 1 a 1,5 m. Acumular los materiales y levantar la pila en un solo día. Si seguimos acumulando material haremos pilas paralelas y de esta manera, dispondremos de compost con diferentes grados de madurez.

3. Una estructura de madera o de alambre puede ayudarnos a contener los materiales a compostar, sino un montón bien organizado será suficiente.

4. Marcado el lugar, realizar una horquillada para facilitar la aireación.

5. Con ramas entrecruzadas formar una capa de unos 0,30 m. Sobre esta, colocar una capa de material seco de unos 0,20 m. Por encima, una capa de 0,20 m de material verde fresco, sobre esta una capa de estiércol de 0,05 m y por último, una capa muy fina de tierra o compost maduro. Si disponemos de harina de hueso, es el momento oportuno para incorporar 3 ó 4 puñados. De esta manera repetiremos esta secuencia de capas dos veces más y llegaremos a la altura deseada. Es necesario humedecer la pila a medida que se construye, porque la falta de agua frena la fermentación. Cuando terminamos la última capa, cubrir con paja o pasto seco toda la pila para evitar pérdidas de calor y humedad. Realizar un último riego sobre esta capa.

Durante la primer semana, se producirá un elevado aumento en la temperatura de la pila, llegando hasta 70°C, debido a la alta actividad metabólica; de esta manera se destruyen semillas de malezas y patógenos. Al comenzar a descender la temperatura, las hifas de los hongos recorren el material y comienzan a transformarse las sustancias. El descenso de la temperatura y el buen olor nos indican que la pila se encuentra en esta segunda fase de su maduración. La tercera fase se caracteriza por la presencia de pequeños animales que desmenuzan el material como ácaros, bichos bolita, saltarines y lombrices. En la última fase aparecen los excrementos de las lombrices y comienza la mineralización de la materia orgánica transformándose en sustancias inorgánicas asimilables por las plantas y la formación de ácidos húmicos.

Este proceso puede demorar entre 3 y 6 meses según los materiales usados, la técnica de construcción y los factores ambientales.

La mayoría de las bacterias, microorganismos y lombrices que intervienen en este proceso se desarrollan mejor en un medio poco ácido, neutro e incluso ligeramente alcalino (pH entre 6 y 8). Cuando en la pila predominan elementos ácidos como pinocha, hojas de azaleas o cortezas de cítricos, disminuye la actividad de bacterias y lombrices, actuando principalmente hongos más tolerantes a la acidez. El compost obtenido será de menor calidad. El pH es otro parámetro que nos orienta en su grado de maduración. Al inicio del proceso, la masa a compostar es ácida (pH 5,5-6) para luego volverse ligeramente alcalina (pH 7,5-8) al alcanzar la maduración.

Los sentidos nos ayudarán a saber el punto de maduración de la pila, su olor es fresco y agradable recordando a la tierra de bosque, su color es oscuro y al tacto se desgrana no adhiriéndose a las manos. También veremos que si partimos de una pila de aproximadamente 1 m, al llegar a la madurez medirá 0,20 m.

En la práctica es conveniente ir construyendo pilas de compost de manera escalonada en el tiempo, lo cual nos garantiza una provisión constante de abono.

La cantidad a aplicar en los canteros es difícil de dosificar, ya que es un abono de mucho volumen y composición variable, pero podemos aplicar entre 3 y 6 kg por m^2 o una capa de 2 cm sobre toda la superficie.

Con ramas entrecruzadas se arma un "enrejado" que permite la circulación de aire y facilita el drenaje.

Los palets, muchas veces desechados, son una estructura excelente para armar una pila de compost ya que permiten la circulación de aire y el drenaje del agua evitando los procesos anaeróbicos de descomposición.

Visualización de las capas que conforman una pila de compost.

Compost de acumulación progresiva

Consiste en ir depositando en una pila los restos orgánicos que se van produciendo. De esta forma, rara vez se produce una elevación de la temperatura. Tiene la ventaja de que no es necesario acopiar los materiales previamente, pero si queremos obtener un buen compost, es necesario darle algunas atenciones como ir mezclando los materiales con regularidad para que no se apelmacen. Cuando la pila alcanza el 1,5 m, dejarla reposar sin incorporar material nuevo para que continúe la fermentación. Controlar y mantener un grado óptimo de humedad.

Acumulación progresiva de material para compostar.

¿Como multiplicar nuestras plantas de manera ecológica?

Multiplicar nuestras plantas a partir de semillas tiene muchos beneficios. Con pocos insumos y unos sobres de semillas ya tendremos todo el plantel necesario para llenar de color nuestro jardín.

Siembra

Las florales se desarrollan básicamente en dos temporadas de cultivo: primavera-verano y otoño-invierno; este es el primer dato que debemos observar. Un calendario de siembra nos indicará la época exacta para cada especie. La prevención de plagas y enfermedades depende también del momento correcto de siembra y de las condiciones del medio que encuentre la semilla al germinar.

A partir del diseño, determinaremos con la mayor precisión posible el número de plantas que vamos a necesitar para nuestros canteros. Con este número aproximado, comenzaremos con la siembra. Esta podemos hacerla en bandejas plásticas comerciales, en cajones de madera o reutilizar un elemento similar.

Las bandejas plásticas *(plugs o speedlings)* están compuestas por un número variable de pequeñas celdas. En cada celda se coloca el sustrato y una semilla. Este sustrato es una mezcla muy liviana y porosa, compuesta por ¼ de turba, ¼ de perlita agrícola, ¼ de compost maduro tamizado y ¼ de tierra negra tamizada. Un puñado de harina de hueso digestada aportará el P necesario para una floración abundante. Se llenan las celdas con esta mezcla, se siembra y se cubre con una fina capa formada por 1/3 de turba, 1/3 de vermiculita y 1/3 de perlita agrícola. Esta última capa tiene la función de mulch en el almácigo. Luego, se riega con lluvia fina. Pasados 2 o 3 días de la siembra podremos inocular los almácigos con micorrizas. Estas se comercializan en forma de inoculante líquido, de aplicación muy sencilla y 100 cc tienen un rendimiento de 1000 dosis.

Plantín de Malope sp.

Bandejas plásticas o Speedlings.

Mezcla lista para la siembra.

Detalle de la siembra.

Si optamos por los cajones de madera, cubriremos el fondo con una capa de paja, pasto seco o ramitas finas, por encima una capa de 5 cm de tierra negra y completaremos el cajón con una mezcla por partes iguales de tierra negra tamizada y compost maduro también tamizado.

Plantines de Tagetes sp. *que se desarrollan en un cajón de siembra.*

Marcamos surcos paralelos a 10 cm entre sí con una tablita, humedecemos cada surco, sembramos y tapamos con la mezcla de tierra tamizada y compost. Aplicamos una fina cobertura de pasto seco y regamos en forma de lluvia. Pasados 2 o 3 días podremos micorrizar. Los almácigos en bandeja plástica, si bien son ideales a la hora del trasplante ya que se evita la ruptura de raíces, al tener poco volumen de sustrato, son sensibles a la falta de agua y requieren riegos más frecuentes que los almácigos realizados en cajoneras. Dependiendo del cuidado que podamos brindarle al almácigo, principalmente en relación con la frecuencia de riegos y la estación del año, elegiremos el contenedor más conveniente para la siembra.

Como la mezcla para llenar los cajones de siembra tiene una porción importante de tierra negra, esta puede contener semillas de malezas. Una forma natural de eliminarlas es llenar el cajón con la mezcla y ponerla en condiciones de riego y cuidados pero sin sembrar. De esta forma, germinarán estas semillas no deseadas y podremos retirarlas fácilmente. La técnica de sembrar en surcos en el cajón también nos indicará la ubicación de las semillas sembradas. Las que germinen fuera del surco serán las adventicias.

Los almácigos requieren cuidados especiales

Los plantines desarrollados en bandejas plásticas son ideales a la hora del trasplante, pero requieren más riegos.

y sin duda un invernáculo es lo ideal. Recordemos que los plantines necesitan sol para su desarrollo cuando emerja la plántula, de lo contrario esta se alarga mucho y se debilita. En invierno, si no tenemos un invernáculo, igualmente hay que protegerlos de las heladas con una cobertura plástica o con vidrios que deben estar aislados de los plantines para evitar que los queme la helada. En verano, los protegeremos del fuerte sol del mediodía con algún tejido que proyecte media sombra.

Invernáculo de vidrio.

Cuando los plantines han desarrollado su segundo par de hojas verdaderas, es el momento de trasplantarlos a su lugar definitivo.

En el caso de haber sido sembrados bajo vidrio o protegidos del frío, y el peligro de heladas aún no haya pasado, es conveniente hacer un trasplante a macetitas individuales más grandes y mantenerlos un tiempo más a resguardo. Para ir adaptando los plantines a las condiciones exteriores y que ganen rusticidad, durante el día pueden permanecer fuera del invernáculo y, por la noche, dentro.

El estrés causado por una mala práctica en el trasplante, sumado a la acción del viento, el frío o el sol extremo, llevan a la plantita a desarrollar más carbohidratos y menos proteínas. Este desbalance es detectado por las plagas que prefieren los carbohidratos y las atacan. Estos organismos no son "malignos"; simplemente realizan su función en el ecosistema, detectando las plantas débiles y consumiéndolas. Aquí encontramos nuevamente otro paradigma de la agricultura orgánica: "La plaga respeta a la planta sana". Ante esta misma situación en el manejo tradicional se optaría por aplicar algún agrotóxico que también aniquilaría los insectos benéficos y la vida del suelo obligando a aplicar luego un fertilizante de síntesis química.

Estacas

La multiplicación de numerosos árboles y arbustos ornamentales se realiza por medio de estacas, la forma de estimular su enraizamiento de forma orgánica es por medio del agua de sauce.

Las ramas desauce *(Salix sp.)* poseen una alta concentración de ácido salicílico y otros componentes que promueven el enraizamiento de las estacas.

¿Cómo hacerla? Tomar unas ramas jóvenes, de un grosor no mayor a un lápiz y cortarlas en trozos. Para preparar 5 litros serán necesarias 4 o 5 ramitas trozadas. Se colocan en un recipiente que soporte el calor, se lleva a fuego bajo y antes que rompa el hervor se retira. Dejar descansar de 10 a 12 hs. Una vez frío, se embotella y se guarda en la heladera.

¿Cómo usarla? En un frasco se colocan las estacas y se cubre el extremo que se va a enraizar con la solución por aproximadamente 10 hs. Luego se retiran y se plantan en la forma habitual rodeando la parte inferior de compost maduro. Completamos con tierra negra, cubrimos con un mulch y regamos. Pasados 2 o 3 días, las inoculamos con micorrizas en el agua de riego.

Glosario

Activador del compost: sustancia que sirve para estimular el proceso de fermentación en una pila de compost. Por ejemplo: ortigas, consuelda, cortes de césped, orina y algas marinas.

Agricultura biodinámica: agricultura ecológica desarrollada por el filósofo Rudolf Steiner a principios de siglo XX. Se emplean preparados que estimulan el crecimiento y la salud vegetal.

Alelopatía: es el fenómeno por el cual una planta libera sustancias tóxicas a la tierra desde sus raíces impidiendo el crecimiento de otras plantas en su cercanía.

Anual: planta que alcanza la madurez y completa su ciclo vital en una sola temporada de crecimiento.

Asociación de plantas: técnica mediante la cual se cultivan juntas distintas especies para un beneficio mutuo, alejando plagas o ayudándose en el crecimiento. Sinónimo de plantas acompañantes.

Autóctona: planta indígena de una región determinada, que contribuye a aumentar la biodiversidad y atrae más vida silvestre que las plantas foráneas introducidas.

Biodegradable: cualquier material orgánico que puede descomponerse en sus partes constituyentes a través de la actividad de las bacterias u otros microorganismos.

Boceto: primeros borradores donde se vuelcan las ideas antes de llegar al proyecto.

Cobertura: capa de material orgánico empleado para cubrir el suelo. En inglés, *mulch*. Acolchado.

Compactación: es el daño producido a la estructura del suelo, que da como resultado su asfixia y ahogamiento; condiciones hostiles para el saludable desarrollo vegetal.

Compost: es el resultado de la fermentación en una pila o montón de la mezcla de diversos materiales orgánicos.

Contaminación acuática: cualquier forma de contaminación que disminuye la calidad del agua. Los nitratos y otras sustancias peligrosas lixiviadas de los abonos químicos o de los plaguicidas suelen ser los principales contaminantes acuáticos liberados por los cultivos convencionales.

Control biológico: es el empleo de una criatura u organismo para frenar el desarrollo de otro.

Deriva: acción del viento que disemina el producto tóxico pulverizado en las zonas cercanas.

Erosión: proceso de desgaste que tiene lugar cuando la

superficie de la tierra es golpeada por las gotas de lluvia, se lava o se la lleva el viento.

Estanque: excavación en la tierra que se llena de agua.

Fungicida: plaguicida empleado para el control de hongos. Destruye también micorrizas y hongos benéficos.

Harina de hueso: abono natural, fuente de fósforo de liberación lenta. También aporta nitrógeno y calcio.

Harina de sangre: abono natural, fuente de nitrógeno.

Herbicida: producto tóxico destinado a matar malezas.

Humus: material de color oscuro formado en la tierra por la descomposición de la materia orgánica. Liga las partículas del suelo mejorando su estructura.

Limpieza: es la práctica en jardinería orgánica de retirar las plantas o los restos de ellas infectadas para evitar el contagio de los futuros cultivos.

Mantillo: material formado por hojas otoñales descompuestas, que se emplea para mejorar la estructura del suelo. Se forma amontonando las hojas en recipientes o bolsas aireadas. Al cabo de unos meses, está en condiciones de uso como cobertura o para incorporarse al suelo. "Tierra de hojas".

Orgánico: producto derivado de un proceso donde no se recurre al uso de fertilizantes de síntesis química, agrotóxicos ni organismos genéticamente modificados (OGM).

Patógeno: organismo capaz de producir enfermedades.

Predador: animal de cualquier tamaño que se alimenta de otro que es plaga.

Purín: líquido resultante de la maceración o fermentación de elementos ricos en materia orgánica, capaz de aportar nutrientes fácilmente asimilables por las plantas. En otros casos, estas sustancias pueden ser inductoras de la resistencia a plagas o enfermedades.

Reciclaje: es la práctica de reducir el material de desecho en sus componentes para volver a emplearlos de manera diferente.

Sustentable: proceso o estado que puede mantenerse en su forma original de manera indefinida. Sinónimo de sostenible.

Variedad resistente: es la variedad vegetal que muestra cierta resistencia a determinada plaga. Es un punto a valorar a la hora de elegir rosales u otros arbustos.

Bibliografía

Abella, Ignacio: *La magia de los árboles*. Barcelona: Integral, 1996.

Altieri, Miguel: *Agroecología. Bases científicas de la agricultura alternativa*. Valparaíso: Cetaar, 1985.

Álvarez, Martha: *Estanques y jardines acuáticos*. Buenos Aires: Albatros, 2007.

Álvarez, Martha: *Césped*. Buenos Aires: Albatros, 2006.

Arnau, J.; Bueno, M.: *Huerto-Jardín ecológico*. Barcelona: Integral, 2010. .

Ball, J.; Cresson, C.: *The 60 Minute Flower Garden*. Emmaus, PA: Rodale Press, 1987.

Bellón, Carlos Alberto: "Fundamentos del planeamiento paisajista" (fasc. 31) en *Enciclopedia Argentina de Agricultura y Jardinería*. Buenos Aires: ACME, 1995.

Bueno, Mariano: *El huerto familiar biológico*. Barcelona: Integral, 2001.

Bueno, Mariano: *Manual Práctico del Huerto Biológico*. Estella: La Fertilidad de la Tierra, 2009.

Bueno, Mariano: *Como hacer un buen compost*. Estella: La Fertilidad de la Tierra, 2004.

Burger, Mabel et al.: "Exposición al herbicida glifosato: aspectos clínicos toxicológicos", Rev. Med. Montevideo, Uruguay 20:202-207, 2004.

Button, John: *Háztelo verde*. Barcelona: Integral, 1992.

Caplin, Adam: *Urban Eden*. London: Kylie Cathie Limited, 2000.

Clayton, Phil: *Planting a small garden*. London: DK, 2007.

Dudley, Nigel y Susan Stickland: *Ecojardín*. Barcelona: Integral, 1992.

Eco-Agro (varios autores): *Agricultura orgánica, experiencias de cultivo ecológico en la Argentina*. Buenos Aires: Planeta, 1992.

Escrivá, María Gabriela: *Huerta orgánica*. Buenos Aires: Albatros, 2005.

Escrivá, María Gabriela: *Huerta jardín orgánica*. Buenos Aires: Albatros, 2007.

Escrivá, Gabriela: *Huerta orgánica en macetas*. Buenos Aires: Albatros, 2010.

Escrivá, Gabriela: *"Jardinería Orgánica"*, Revista Jardín Edición Especial N° 21, Buenos Aires: GRLN, 2009.

Fukuoka, Masanobu: *La Senda Natural del Cultivo*. Buenos Aires: Edición Comunitaria, 2002.

Guarnaschelli, B. y Ana M. Garau: *Árboles*. Buenos Aires: Albatros, 2009.

Harper, Meter: *El libro del Jardín Natural*. Barcelona: Ediciones Oasis, 1994.

Hayes, Howard *et al.*: "Case-Control Study of Canine Malignant Lymphoma: Positive Association With Dog Owner's Use of 2,4 Dichlorophenoxyacetic Acid Herbicides", *Journal of the National Cancer Institute* Vol. 83, No.17, pp. 1226-1231, 1991.

Howard, Albert: *Un testamento agrícola*. Santiago de Chile: Imprenta Universitaria, 1947.

Kreuter, Marie Luise: *Jardín y huerto biológicos*. Madrid: Mundi Prensa, 1994.

Lemaire, Francis: *Cultivos en macetas y contenedores*. Madrid: Mundi Prensa, 2005.

Martin, Deborah: *Wacky garden helpers from your kitchen*. Emmaus, PA: Rodale Press, 2009.

Mc Clure, Susan: *Companion Planting. Rodale's successful organic gardening*. Emmaus, PA: Rodale Press, 1994.

Mc Kay, Kim: *"True green home"*, National Geographic. Washington DC, 2009.

Pearson, David: *El libro de la casa natural*. Barcelona: Integral, 1991.

Pearson, David: *El libro de la arquitectura natural*. Barcelona: Integral, 1994.

Pfeiffer, Ehrenfried: *El semblante de la tierra*. Barcelona: Integral, 1983.

Primavesi, Ana: *Manejo ecológico del suelo, la agricultura en regiones tropicales*. Buenos Aires: El Ateneo, 1984.

Rapaport, E; A. Marzocca y B. Drausal: *Malezas comestibles del Cono Sur.* Buenos Aires: INTA, 2009.

Rodale, J. I.: *"Abonos orgánicos", en El cultivo de huertas y jardines con compuestos orgánicos*. Buenos Aires: Tres Emes, 1946.

Rodríguez Pérez, C. et al.: *Acción depuradora de algunas plantas acuáticas sobre las aguas residuales*. La Habana: ISPJAE, 1992.

Roger, Jean-Marie: *El suelo vivo*. Barcelona: Integral, 1985.

Ros Orta, Serafín: *La Empresa de Jardinería y Paisajismo*. Madrid: Mundi-Prensa, 1996.

Siefert, Alwin: *Agricultura sin venenos o el nuevo arte de hacer compost*. Barcelona: Integral, 1988.

Thompson, Frederick: *Los suelos y su fertilidad*. Barcelona: Reverté, 1988.

Wolverton, B. C.: *Plantas amigas de interior*. Barcelona, Oniro, 2000.

Índice

Donde haya un árbol que plantar, plántalo tú.
Donde haya un error que enmendar, enmiéndalo tú.
Donde haya un esfuerzo que todos esquivan, hazlo tú.
Se tú el que aparta la piedra del camino

Gabriela Mistral

EDITORIAL ALBATROS